稲盛和夫の実学

経営と会計

稲盛和夫

JN285545

日経ビジネス人文庫

まえがき　今こそ求められる「経営のための会計学」

日本の多くの経営者は一九八〇年代後半から始まるバブル経済の熱狂に踊らされ、過剰投資を繰り返した。そのバブル経済は当然のごとく崩壊し、一九九〇年代初頭よりデフレスパイラルが始まった。その結果、現在では金融業、建設業、不動産業等、あらゆる産業において、不良資産が増大し、日本の経済界は塗炭の苦しみの中であえいでいる。

この間、経営者は何をしていたのだろうか。経営のあり方を見直し、抜本的な対策をとろうとしたのは少数であり、多くは不良資産を隠し、業績の悪化を繕うことに努めてきたのではないだろうか。そのため、日本の企業経営は、その不透明さゆえに国際的な信用を失い、多くの不祥事を生み出すことにもなったのである。

もし、中小企業から大企業に至るまで経営に携わる者が、常に公明正大で透明な経営をしようと努めていたなら、また、企業経営の原点である「会計の原則」を正しく理解していたなら、バブル経済とその後の不況も、これほどまでにはならなかったはずである。私にはそう思えてならない。

恐らく一九八〇年代初頭までの単純な右肩上がりの経済であれば、企業経営は前例に従うだけでよかっただろう。しかし、日本を取り巻く環境は大きく変わっている。日本経済は成熟化し、成長神話は崩れ去り、複雑なグローバル経済の中に組み込まれている。このような時代においては、経営者は、自社の経営の実態を正確に把握したうえで、的確な経営判断を下さなくてはならない。そのためには、会計原則、会計処理にも精通していることが前提となる。

ところが日本では、それほど重要な会計というものが、経営者や経営幹部の方々から軽視されている。会計と言えば、事業をしていく過程で発生したお金やモノにまつわる伝票処理を行い、集計をする、後追いの仕事でしかないと考えているのである。

また、中小、零細企業の経営者の中には、税理士や会計士に毎日の伝票を渡せば、必要な財務諸表はつくってもらえるのだから会計は知らなくてもいい、と思っている者もいる。経営者にとって必要なのは、結果として「いくら利益がでたか」、「いくら税金を払わなければならないのか」ということであり、会計の処理方法は専門家がわかっていればいいと思っているのである。さらに、会計の数字は自分の都合のいいように操作できる、と考えている経営者さえいる。

私は二十七歳の時に京セラを創業し、ゼロから経営を学んでいく過程で、会計は「現代経営の中枢」をなすものであると考えるようになった。企業を長期的に発展させるためには、企業活動の実態が正確に把握されなければならないことに気づいたのである。

真剣に経営に取り組もうとするなら、経営に関する数字は、すべていかなる操作も加えられない経営の実態をあらわす唯一の真実を示すものでなければならない。損益計算書や貸借対照表のすべての科目とその細目の数字も、誰から見ても、ひとつの間違いもない完璧なもの、会社の実態を一〇〇パーセント正しくあらわすものでなければならない。なぜなら、これらの数字は、飛行機の操縦席にあるコックピットのメーターの数値に匹敵するものであり、経営者をして目標にまで正しく到達させるためのインジケーターの役割を果たさなくてはならないからである。

このような考え方にもとづき、私は経理部に経営資料を作成してもらい、その数字をもとに経営してきた。その結果、京セラや第二電電もバブル経済に踊らされることなく堅実に発展を続けている。今振り返ってみると京セラ創業時、会計というものをまったく知らなかったため、それを自分で学び、「人間として正しいことを追求していく」という私自身の経営哲学をベースに「会計の原則」を確立できたことが、その要因であると思える。
私は会計学の専門家ではない。しかし、自ら学び、つくりあげた会計学の原則が、現状に苦しみ、今何をしていいのか迷っている経営者やビジネスマンに少しでも参考になるのではないかと考え、今回それをまとめてみることにした。
本書は、私の考える経営の要諦、原理原則を会計的視点から表現したものであり、少し過激な表現ではあるが、「会計がわからんで経営ができるか」という思いで出版させていただいた。それは、混迷する時代に、血を吐くような思いで叫んでいる、私の叱咤激励であることをどうかご理解いただきたい。本書が「経営のための会計学」を真摯に学ぼうとする多くの方々に読まれ、より素晴らしい経営をするための一助となることを心から期待している。

なお、本書は当社の元経理部長（元監査役）、故・斎藤明夫氏が後進のためまとめたものをベースとしている。改めて斎藤明夫氏のご努力に対し心から感謝したい。

最後に、出版するに当たってご協力頂いた日本経済新聞社出版局編集部の波多野美奈子氏、西林啓二氏、および現在の当社経営管理本部長・石田秀樹、関連会社育成本部副本部長・高橋幸男、秘書室長・大田嘉仁、経営研究課・木谷重幸に謝意を表すものである。

一九九八年九月

稲盛　和夫

文庫版の発刊にあたって

バブル経済の崩壊から約十年、日本を覆っていた経済不況という暗雲にも、ようやく晴れ間が見えはじめた。「景気の底入れ」が実感として捉えられるようになった昨今、拙著『稲盛和夫の実学─経営と会計』を文庫本として発刊したいとの依頼を日本経済新聞社からいただき、まさに時宜を得た企画ではなかろうかと、よろこんでお受けした。

何が日本のバブル経済を招いたのか、また、そのバブル経済崩壊後、何故、不況がこのように長引くことになったのか。私はいずれも、企業経営に携わる人間の「考え方」というものが、その大きな要因としてあったと考えている。その意味で、今世紀末における日本の経済不況とは、世の経営者たちに「経営者とはどのような考え方を持つべきなのか」とか「企業経営の原理原則とは何か」を厳しく、問うものであったと言えるのではないだろうか。

『稲盛和夫の実学』は、日本経済が不況から脱しきれずにいた、一九九八年十月に初版が出版された。その内容は、もともと技術屋で、経営に関してはまったくの素人でしかなかった私が、京セラを経営するなかで、手探りで見出した経営の原理原則というものをまとめたものである。

後に、多くの読者から、「我が意を得た」、「まったく同感だ」「目からうろこが落ちた」等々のお手紙をいただいた。また、経済界からも、直接、間接的に、多数の賛同をいただき、幸運にもビジネス書としては異例のベストセラーにもなった。

今回発刊される文庫版は、価格も手頃で、気軽に携帯できることから、さらに多くの経営者、ビジネスマンの方々に、お読みいただき、日々の経営の参考にしていただければと、期待している。

猛暑の日照りが続く　京都　伏見にて

稲盛　和夫

目次

稲盛和夫の実学

経営と会計

序章　私の会計学の思想

1　私の会計学はどのようにして生まれたか

私の経営の原点と会計

支援してくださる方々のご好意により、京セラを設立したとき、まだ二十七歳の技術者であった私に経営の経験はなかった。それでも前に勤めていた会社で製品の開発から事業化までを担当していたので、新しい製品を開発すること、それを生産に移すこと、そして、それをマーケットで売ること、という三つのことについては何とかやれるだろうと考えていた。

だが、「会計」については何も知らなかった。初めて貸借対照表というものを見て、右手には「資本金」というお金があり、左手には、現金・預金というお金がある。そこで「お金が二手に分かれて、両側にあるのだなあ」と思ったほどである。それほど、創業当時の私は会計についても、また経営についても知らなかった。

そんな私にできることは、全身全霊をかけて仕事に打ち込むことだけだった。しかし、すべての事柄について部下たちは、経営を任されていた私に判断を仰いでくる。京セラは生まれたばかりの零細企業だったので、一つでも判断を間違えば会社はすぐに傾いてしまう。私は何を基準に判断すべきなのか、いかにして経営にあたるべきなのか、夜も寝られないほど思い悩んだ。もし、経営を進めていくうえで、理屈に合わなかったり、道徳に反することを行えば、経営は決してうまくいくはずがない。そうであれば経営の知識はないのだから、すべてのことを原理原則に照らし判断していこう、直面した一つ一つの問題について「そうだ、こうでなければならない」と心から納得できるやり方で道を切り開いていこう、と決心をした。こうして、原理原則、つまり、世間で言う筋の通る、人間として正しいことにもとづいて経営していこうと決めたのである。

今振り返ってみると、それまで経営の常識とされるものに触れたことがなかったということが、かえって幸いしたのだろうと思う。経営のあらゆることについて、一から理解し、納得してから判断しようとしたので、経営とはいかにあるべきかという経営の本質をつねに考えるようになったのである。

「会計」についても、まったく同じである。つねにその本質を考えるようにしていたので、自分が予想したものと実際の決算の数字とが食い違う場合、すぐに経理の担当者から詳しく説明をしてもらうようにした。私が知りたかったのは、会計や税務の教科書的な説明ではなく、会計の本質とそこに働く原理なのだが、経理の担当者からは、そのような答えを往々にして得ることができなかった。だから私は「会計的にはこのようになる」と言われても、「それはなぜか？」と納得できるまで質問を重ねていた。

経理部長とのやりとりを通して生まれた私の会計学

私の会計学にとって重要な役割を果たしたのは、京セラ創業後八年目に入社していただいた斎藤経理部長である。入社当時彼はすでに五十歳で、戦前に設立された歴史ある企業で豊かな経験を積んだ経理マンであった。それに対してこちらはようやく三十代半ばの技術屋経営者である。

当時の京セラの規模はまだ小さく、彼の入社直前の一九六七年（昭和四十二年）三月期の売上は六億四千三百万円、税引後利益は一億二百万円であった。

彼が入社したてのころ、私とよく意見が対立し、いつも激論となった。彼にとって私は経理の素人にすぎない。私が社長であるからといって、彼は容易に自分の信ずるところを譲らなかった。

しかし、私は、疑問に思ったことはどんな小さなことでも、彼に遠慮なく質問をぶつけた。「なぜ、こんな伝票を使うのか?」、「経営の立場からはこうなるはずだが、なぜ、会計ではそうならないのか?」など、根ほり葉ほり『なぜ』を繰り返したのである。相手が「とにかく会計ではそういうことになっているんです」と音を上げても、「それでは答えにならない。経営者が知りたいことに答えられないような会計では意味がない」と納得がいくまで食い下がった。

最初、彼は私のこのような質問に驚き、あきれていたことであろう。経理の専門家を自負する彼にとっては、考えられないような難問奇問の連続だったかもしれない。内心では素人の無理難題と受けとめていたに違いない。しかし、数年を経たころ、突然彼の態度は一変し、私の意見に真摯に耳を傾けてくれるようになった。私が「経営はいかにあるべきか」という立場から会計について発言することを深く受けとめ、これまで触れたことのなかったものの見方を進んでくみ取ろうとするようになったのである。あとで聞くと「社長の言っていることは、会計の本質を突いているのではないか」と気づいたという。

彼は自分が得たものを、経理の他の者たちに何とか伝えようと、ことあるごとに勉強会を開いて教え始めた。彼はその後『京セラ経理規程』をまとめ上げたのだが、それは現在も京セラの経理に引き継がれている。この規程の冒頭には、私とのやりとりから彼が学びとった経営のための会計の本質が「京セラフィロソフィの中から生まれた会計思想」として掲げられている。

その後、彼は経理部長として、株式上場、米国での株式発行にあたるADRの発行などにたずさわり、京セラの急激な成長を経験することになる。このような中で、彼は私の良き受け手として京セラの会計システムをより精緻なものへと進化させていった。

京セラは一九九八年三月期の連結売上で七千億円を超える企業に成長し、さらに連結売上一兆円企業をめざして事業展開を進めている。また、一九八五年に創業した第二電電は、すでに連結売上で一兆円を超えるまでに成長している。

私はこの過程で遭遇したさまざまな会計や税務などの問題に対して、自分の経営哲学にもとづいて真正面から取り組んできた。具体的な事例を納得できるまで掘りさげて、会計・財務のあり方、会計管理のあるべき姿などについて、私なりに得心できる考え方を持つに至った。

このようにして形成された会計学は、京セラ独自の経営管理システムである『アメーバ経営』とともに社内に浸透し、京セラ急成長の原動力の一つとなったのである。

2　私の会計学の基本的な考え方〈本質追究の原則〉

ここでは私の経営学、会計学の原点にある基本的な考え方について説明したい。

原理原則に則って物事の本質を追究して、人間として何が正しいかで判断する

物事の判断にあたっては、つねにその本質にさかのぼること、そして人間としての基本的なモラル、良心にもとづいて何が正しいのかを基準として判断をすることがもっとも重要である。二十七歳で初めて会社経営というものに直面して以来、現在に至るまで、私はこのような考え方で経営を行ってきた。私が言う人間として正しいこととは、たとえば幼いころ、田舎の両親から「これはしてはならない」「これはしてもいい」と言われたことや、小学校や中学校の先生に教えられた「善いこと悪いこと」というようなきわめて素朴な倫理観にもとづいたものである。それは簡単に言えば、公平、公正、正義、努力、勇気、博愛、謙虚、誠実というような言葉で表現できるものである。

経営の場において私はいわゆる戦略・戦術を考える前に、このように「人間として何が正しいのか」ということを判断のベースとしてまず考えるようにしているのである。

何事においても、物事の本質にまでさかのぼろうとはせず、ただ常識とされていることにそのまま従えば、自分の責任で考えて判断する必要はなくなる。また、とりあえず人と同じことをする方が何かとさしさわりもないであろう。たいして大きな問題でもないので、ことさら突っ込んで考える必要もないと思うかもしれない。しかし、このような考え方が経営者に少しでもあれば、私の言う原理原則による経営にはならない。どんな些細なことでも、原理原則にさかのぼって徹底して考える、それは大変な労力と苦しみをともなうかもしれない。しかし、誰から見ても普遍的に正しいことを判断基準にし続けることによって、初めて真の意味で筋の通った経営が可能となる。

経営における重要な分野である会計の領域においてもまったく同じである。会計上常識とされている考え方や慣行をすぐにあてはめるのではなく、改めて何が本質であるのかを問い、会計の原理原則に立ち戻って判断しなければならない。そのため一般に認められている「適正な会計基準」をむやみに信じるのではなく、経営の立場から「なぜそうするのか」「何がその本質なのか」ということをとくに意識して私は問いかけるようにしてきた。

減価償却と原理原則による判断

会計の分野における原理原則に則った判断というものについて、固定資産の減価償却に用いられる耐用年数の例で考えてみたい。

たとえば、経理の担当者に「機械を買うとなぜ減価償却が必要になるのか」と尋ねるとする。

「機械というものは使っても形を変えずに残っている。原材料のように、使えば製品に姿を変えてなくなってしまうようなものとは違う。それゆえ、何年も動く機械を買ったのに一時にすべて費用として落としてしまうのはおかしい」

「そうかと言って、さんざん使ったあげく、捨てるときに初めて費用に落とすというのも明らかに不合理である。その機械がきちんと動き、製品をつくることができる耐用年数を定めて、その期間にわたって費用に計上するのが正しい」という答えが返ってくるであろう。これは納得のいく話である。

ところが経理の常識では、その耐用年数について、いわゆる「法定耐用年数」に従って償却することを考える。大蔵省の省令の一覧表にあてはめて償却年数を決めるのである。

たとえば、その一覧表によるとセラミックの粉末を成型する設備は「陶磁器、粘土製品、耐火物などの製造設備」の項目に該当し、耐用年数は十二年と定められている。この規定に従えば、非常に硬度の高いセラミックの粉末を成型するため磨耗が激しい機械設備でも十二年で償却することになる。一方、磨耗がそれほど激しくない菓子製造用の砂糖やメリケン粉を練る機械は、「パン又は菓子類製造設備」の項目に該当し、耐用年数は九年とセラミックより短くなっている。

これは容易に納得できることではない。それぞれの機械が正常に機能する期間で費用に計上することが当然であるにもかかわらず、実際には「法定耐用年数」に無理矢理あてはめるという決め方をされて、経営者として平然としていられるだろうか。法定耐用年数というものは、「公平な課税」を重視する税法において、定められたものであり、個々の企業の状況の相違を認めないで「一律公平に」償却させるためのものである。私の経験ではセラミックの粉を四六時中練れば、機械の保守をきちんとして大切に使っても、せいぜい五、六年持たせるのが精一杯である。そうであれば、償却も実際に機械を正常に使える年数で行うべきであろう。

しかし、経理・税務の専門家は、「決算処理上六年で償却したとしても、税法上は十二年で償却しなければならない。だから、もしそうすれば最初の六年は償却が増えて利益は減る。ところが、税金計算では法定耐用年数の十二年での償却となるので利益は減ってもその分の税金は減らないことになる。いわゆる税金を払って償却する有税償却になる」と言うであろう。また、「税務上の耐用年数が法令で定められており、みんながこれに従っているのに、わざわざ無理に異なったことをやるのは賢明ではない。実務的にも償却計算が二本立てになって煩雑になる」と主張するかもしれない。このような専門家の意見にたじろいで多くの経営者は「そのようなものか」と思ってしまうのではないだろうか。

たとえ、実務上の常識がそうであったとしても経営や会計の原理原則に従えば、有税であっても償却すべきである。六年でダメになるものを十二年で償却したら、使えなくなっても償却を続けることになる。すなわち実際に使っている六年間は償却が過小計上されており、その分があとの六年へと先送りされていることになる。

「発生している費用を計上せず当面の利益を増やす」というのは、経営の原則にも会計の原則にも反する。そんなことを毎年平然と続けているような会社に、将来などあるはずがない。「法定耐用年数」を使うという慣行に流され、償却とはいったい何であり、それは経営的な判断としてどうあるべきなのか、という本質的な問題が忘れられてしまっているのである。

だから、京セラにおいては法定耐用年数によらず、設備の物理的、経済的寿命から判断して「自主耐用年数」を定めて償却を行うようにした。具体的には製造設備の耐用年数は四年から六年とおおむね税法で定められた年数の半分としているが、変化がとくに激しい通信機器関係の設備では、税法上十年となる耐用年数を大幅に短縮している。このように会計的にはいわゆる「有税償却」を実施し、税務上は税法で定められた耐用年数による償却計算を別途行っている。

常識に支配されない判断基準

常識とされるものが人の心をいかに強く支配するかということを、私が若いころ実際に経験した例で説明したい。

以前、「歩積み・両建て預金（ぶづみ・りょうだてよきん）」というものが一般的に行われていた。

昭和三十四年の京セラ創業当時には銀行で手形を割り引くたびに、一定率の「歩積み」預金を行い、銀行に積み立てていくことが当然のことのように行われていた。銀行で受取手形を割り引いてもそれが不渡りになれば、銀行がリスクを負うわけではなく、当社がその不渡手形を抱えなければならない。しかし、なお銀行は当社が約定通り不渡手形を買い戻してくれるかが心配なので、その担保として「歩積み」をとるというわけである。

これは「銀行のリスクヘッジのため」と一応の理解をしてみても、その歩積み預金は手形割引とともに積み上げるのみで、手形の割引残高を超えても歩積みから解放されない。社内で銀行の方から申し入れのあった歩積み率の引き上げが話題となった際に、私はむしろ歩積みそのものがどうしても納得できないと考えて会議でその旨発言した。しかし、経理を担当する者をはじめ周囲からは、歩積みをするのは常識であって、それをおかしいなどというのは非常識きわまりないと笑われて相手にもされなかったことがある。

その後まもなく、このような歩積みや両建てという慣行は、銀行の実質収入を上げるための方便にすぎないと批判され、廃止された。これを見て私は、「いくら常識だといっても、道理から見ておかしいと思ったことは、必ず最後にはおかしいと世間でも認められるようになる」と自信を持った。

また売上に対する販売費・一般管理費の割合にも常識と呼ばれる迷信がある。たとえば、ある業界で販売費・一般管理費が、売上の一五%はかかるということが常識となっているとする。販売組織や販売方法が、各社みな類似していることが背景にあろう。

そこで、新しく参入してくる企業が、売上に対して販売費・一般管理費が一五%かかるという常識を前提にして経営すると、意図せず自然のうちに同業他社と横並びの経営になってしまう。これでは、「自社の製品をより効率的に販売するためには、一体どのような販売組織や販売方法をとるべきなのか」という重要な経営課題を根本的に考える機会を自ら放棄し、他社を模倣することになる。

それだけではない。たとえば「この業種でこの規模ならば売上高利益率は税引後で五、六パーセントである」という常識にとらわれてしまえば、どうしても結果として利益はその水準にとどまる。不思議なことに毎年賃金が上昇しても、その水準の利益は出せるが、それ以上の利益はどうしても出せなくなるのである。

これらの例はいわゆる常識というものに、あとで考えれば不思議なほど、簡単にとらわれてしまうものかをよく示していると思う。

もちろん、私は常識とされていることをとにかく頭から否定すべきだと言っているのではない。問題は、本来限定的にしかあてはまらない「常識」を、まるでつねに成立するものと勘違いして鵜呑みにしてしまうことである。このような「常識」にとらわれず、本質を見極め正しい判断を積み重ねていくことが、絶えず変化する経営環境の中では必要なのである。

以上述べてきたものは、私の思想の原点となる基本的な考え方である。それゆえ、経営においてもすべての考え方の根本となるものであり、会計の分野においても、もちろん貫かれなければならない思想である。

3　私の会計学と経営

前節では私の会計学の基本となる考え方を説明した。会計というのは、あくまでも経営の一分野にほかならないのだが、ここでは、経営における重要な原則とその会計との関連性を明らかにしていきたい。

売上を最大に、経費を最小に

京セラを創業して間もなく、経理について何も知らなかったころ、私は「今月の決算はどうだったか」と経理の担当者に尋ねた。難しい言葉を並べて説明してくれるが、こちらは会計用語などよくわからない。利益といっても何種類もあって、それぞれに減ったり増えたりするという。

難しそうな顔をしている担当者にいく度も質問を繰り返したあげく、「わかった。早く言えば売上から費用を引いた残りが利益だから、売上を最大にして、経費は最小にすればいいんだな。そうすればあなたが言ういろいろな種類の利益も、すべて問題なく増えるわけだ」と言った。それに対し経理担当者は「それはそうなんですけれど、簡単に言うことはできないんです」などと答えていたが、私はその瞬間に「売上を最大に、経費を最小に」ということが経営の原点であることを理解することができた。

経営者は誰でも利益を追求するのだが、多くの経営者が売上を増加させようとすると当然経費も増えるものと思っている。これがいわゆる経営の常識なのである。しかし、「売上を最大に、経費を最小に」ということを経営の原点とするならば、売上を増やしていきながら、経費を増やすのではなく、経費は同じか、できれば減少させるべきだということになる。そういう経営がもっとも道理にかなっていることにそのとき私は気づいたのである。

売上を増やしながら経費を減らすというのは、生半可なことでは達成できることではない。そのためには、智恵と創意工夫と努力が必要となる。利益とはその結果生まれるものでしかないのである。

値決めは経営

事業において、その収益源である売上を最大限に伸ばしていくためには、値段のつけ方が決め手となる。製品の値決めなど、営業担当の役員や部長に任せておけばいいと考える経営者もいるかもしれないが、私は「値決めは経営である」と思い、その重要性を訴えてきた。値決めはたんに売るため、注文を取るためという営業だけの問題ではなく、経営の死命を決する問題である。売り手にも買い手にも満足を与える値でなければならず、最終的には経営者が判断するべき、大変重要な仕事なのである。

京セラは創業当時から電子機器メーカーに電子部品を納めていたが、電子部品の業界は新規参入も多く競争が激しいため、当時無名に近かった京セラに対して、いつも非常に厳しい値下げの要求があった。競合品があれば、天秤にかけられて、徹底的に値切られた。また、毎年毎年値段を下げられた。そうなってくると営業は、注文を取るために、いくらでも値段を下げていく。

こんなことをしていたらどうにもならないので、私は「商売というのは、値段を安くすれば誰でも売れる。それでは経営はできない。お客さまが納得し、喜んで買ってくれる最大限の値段。それよりも低かったらいくらでも注文は取れるが、それ以上高ければ注文が逃げるという、このギリギリの一点で注文を取るようにしなければならない」ということを社内の営業部門に対して繰り返し強調した。顧客が喜んで買ってくれる最高の値段を見抜いて、その値段で売る。その値決めは経営と直結する重要な仕事であり、それを決定するのは経営者の仕事なのである。つまり、売上を最大にするには、単価と販売量の積を最大とすれば良い。利幅を多めにして少なく売って商売をするのか、利幅を抑えて大量に売って商売をするのか、値決めで経営は大きく変わってくるのである。

値決めで失敗すれば、あとで取り返しがつかないこともある。あまりにも安い値段を設定してしまい、どんなに経費を削減しても採算を出せない場合もある。また、高い値段をつけすぎて、山のような在庫をかかえて資金繰りに行き詰まるケースもある。

このように、経営において値決めは最終的に経営者自らが行わなければならないほど重要な仕事なのである。個々の売値の設定を経営上の重大問題とする考え方は、京セラにおいて深く浸透しており、これが在庫評価の考え方、採算管理システムのあり方など、京セラの会計に大きな影響を与えている。

夜なきうどんと経営

売値の決め方に知恵を絞り、経費を最小とするよう努力していく例として、私は会社の幹部にしばしば「夜なきうどんの屋台を引く」という話をした。経営者を育てるためには、極論ではあるが、うどんの屋台を引っ張らせて街角でうどんを売らせるという方法が効果的な実習となるだろうと考えたからである。

五万円なら五万円の元手を出して、「しばらく会社に出てこなくてもよろしい。屋台一式を貸すから、一カ月間毎晩、京都のどこかでうどんを売ること。この五万円を一カ月後、いくらにして持って帰ってくるのかが実績だ」と実地訓練に送り出す。

まず一番に来るのは仕入の問題である。最初にうどん玉を買わなければならない。製麺所まで買いにいくという方法もあれば、スーパーで売っている生麺を買ってくる方法もある。固い干し麺を買ってきて、ゆがいて出すことも考えられる。

次はだしである。いい味を出すためにはだしがポイントとなる。高い鰹節を買ってくる者もいれば、鰹節を削っているところで屑をもらってくる者もいるだろう。同じ美味しいだしを出すにしても、工夫によって全然違う。原価を安くしていかにいい味を出すかの創意工夫が必要となる。

「かまぼこ」や「揚げ」や「ネギ」にしても、スーパーマーケットに行って買ってくる者もいれば、工場や農家から直接仕入れてくる者もいるだろう。このように材料の仕入れにしても、いろいろなやり方がある。

そして、肝心なのが売値である。一杯三百円の「夜なきうどん」もあれば、五百円のものもある。安ければいくらでも売れるだろうが、利益を得ることはできない。お客さんを満足させて売れるベストの値段を探し出さなくてはならない。

このようにうどんの屋台ひとつでも、いろんな選択肢がある。一晩に出てくる差はわずかでも、年間にすればものすごい差になってくる。だから、屋台から大きなフランチャイズ・チェーンに発展させる人もいるし、十何年屋台を引いて何も財産を残せない人もいる。いい商売、悪い商売があるのではなく、それを成功に導けるかどうかなのである。売上を最大にするように正しい値決めができれば、あとは「経費を最小に」を徹底して行っていけば良い。

企業の会計は、この「売上を最大に、経費を最小に」という経営の原点を経営者が効率よく追求できるようにしたものであり、しかもその成果を明瞭に表現しているものでなければならない。これが京セラの会計システムを貫く考え方である。この考え方は京セラの管理会計システムである「採算制度」において、端的な形で表現されている（この点については、後述の第二部第六章「採算の向上を支える」を参照のこと）。

会計がわからなければ真の経営者になれない

われわれを取り巻く世界は、一見複雑に見えるが、本来原理原則にもとづいた「シンプル」なものが投影されて複雑に映し出されているものでしかない。これは企業経営でも同じである。会計の分野では、複雑そうに見える会社経営の実態を数字によってきわめて単純に表現することによって、その本当の姿を映し出そうとしている。

もし、経営を飛行機の操縦に例えるならば、会計データは経営のコックピットにある計器盤にあらわれる数字に相当する。計器は経営者たる機長に、刻々と変わる機体の高度、速度、姿勢、方向を正確かつ即時に示すことができなくてはならない。そのような計器盤がなければ、今どこを飛んでいるのかわからないわけだから、まともな操縦などできるはずがない。

だから、会計というものは、経営の結果をあとから追いかけるためだけのものであってはならない。いかに正確な決算処理がなされたとしても、遅すぎては何の手も打てなくなる。会計データは現在の経営状態をシンプルにまたリアルタイムで伝えるものでなければ、経営者にとっては何の意味もないのである。

その証拠に急速に発展している中小企業が、突然、経営破綻を起こすことがある。会社の実態を即座に明確に伝える会計システムが整備されておらず、ドンブリ勘定となっているため経営判断を誤り、最終的に資金繰りに行き詰まってしまうのである。

中小企業が健全に成長していくためには、経営の状態を一目瞭然に示し、かつ、経営者の意志を徹底できる会計システムを構築しなくてはならない。京セラが急速な事業展開ができたのは、そのような会計システムを、早いうちから整備し、それによって経営を進めることができたからである。

そのためには、経営者自身がまず会計というものをよく理解しなければならない。計器盤に表示される数字の意味するところを手に取るように理解できるようにならなければ、本当の経営者とは言えない。経理が準備する決算書を見て、たとえば伸び悩む収益のうめき声や、やせた自己資本が泣いている声を聞きとれる経営者にならなければならないのである。

京セラでは、まだ会社が小さかったころから、月次決算資料が部門別に出るようにしていた。私は会社にいるときも、出張に出かけるときも、細かい部門別になっているその資料にすぐに目を通すようにしていた。その部門の売上、経費の内容を見ていくと、ひとつの物語のようにその部門の実態がわかってくる。その部門の責任者の顔を思い浮かべながら、「こんなに無駄な費用を使っている」「材料代が売上に占める割合が大きすぎる」と経営上の問題がひとりでに浮かび上がってくる。

このように注意深く月次決算書を見ていると、工場へ行き、問題のある現場を通りかかったときに、「ここは先月こうだったな」と思い起こし、どこが問題なのかを、即座に指摘することができる。その現場の責任者が注意をした通りに対策を打っていると、翌月の月次決算にすぐあらわれる。こうして会社全体の実績が良くなっていくのである。

常識的には、月次決算書などの決算資料は、経理が一般的な形でつくるものかもしれない。しかし、それでは本当に経営者の役に立つものにはならない。経営者がまさに自分で会社を経営しようとするなら、そのために必要な会計資料を経営に役立つようなものにしなければならない。それができるようになるためにも、経営者自身が会計を十分よく理解し、決算書を経営の状況、問題点が浮き彫りとなるものにしなければならない。経営者が会計を十分理解し、日頃から経理を指導するくらい努力して初めて、経営者は真の経営を行うことができるのである。

第一部

経営のための会計学

実践的基本原則

第一部では、経営のための会計学を実践していくために必要な七つの基本原則を、「実践的基本原則」として説明したい。

第一章　キャッシュベースで経営する【キャッシュベース経営の原則】

この章で述べる「キャッシュベースの経営」というのは、「お金の動き」に焦点をあてて、物事の本質にもとづいたシンプルな経営を行うことを意味している。会計はキャッシュベースで経営をするためのものでなければならないというのが、私の会計学の第一の基本原則である。

高度な会計学を知らなくとも誰でも自然に身につけている収支計算がある。製品をつくり、お客さまに販売して代金をいただく。そのために使ったさまざまな費用をその中から支払う。利益とは、これら支払いのすべてが終わったあとに残ったお金を指すということは、誰でも知っていることであろう。事実、会計が生まれた中世イタリア商人の地中海貿易では、一つの航海が終わると収入からすべての費用を清算して、残った利益を分配していたそうである。つまり、現金収支の計算がそのまま損益の計算となっていたわけである。

しかし、現代の企業では、その連続する活動を暦で区分して年度ごとに決算を行わなければならない。そこで近代会計では、収入や支出を発生させる事実が起きたときに収益や費用があったとして、一年間の利益を計算する。これが「発生主義」と言われる会計方法である。この方法をとると、お金の受け取りや支払いがなされるときと、それらが収益や費用となるときとが異なるようになる。その結果、決算書にあらわされる損益の数字の動きと、実際のお金の動きとが、直結しなくなり、経営者にとって会計というものがわかりにくいものになってきたのである。また、実際に社会が発展し、社会制度や商取引が複雑になると、それに従い会計も複雑にならざるをえない。どのような事実をもって収益や費用が発生したとするのかが、難しい問題となるのである。

そこで、会計の原点に戻るなら、本来もっとも重要な「キャッシュ」に着目して、それをベースにして正しい経営判断を行うべきだということになる。この章では、この「キャッシュ」をベースに経営するということについて私の考えを述べたい。

1 儲かったお金はどうなっているか

会計学を詳細に勉強する時間がなかなか持てない経営者にとっては、経済が高度で複雑になればなるほど、決算の内容もますます把握しにくくなる。月末や期末からかなり日数が経ってからようやくできあがる決算書をながめ、経理からさまざまな会計処理の説明を受けて初めて、自分の会社の利益がいくら出たのかを把握するようなことがよくあるのではないか。

ずいぶん前になるが、私も期末の決算報告を終えた経理部長に対して、「儲かったお金はどこにあるのか」と尋ねたことがある。彼は、「利益は売掛金や在庫、また設備など、さまざまなものに姿を変えているので、簡単明瞭にどこにあると言えるものではない」と答えた。

そこでさらに踏み込んで、「利益から配当しなければならないというが、それだけの金がどこにあるのか」と聞いた。経理部長は、利益は手持ちの資金としてはなく、配当資金は銀行から借りる予定であると述べた。

私はそれが非常に不思議に思えたので、「配当をするお金がなくて、わざわざ銀行から借りてくるというのでは、儲かったと言えるのだろうか？」と尋ねた。経理部長は、「はい、それでも儲かったと言うのです」と答えた。

それでは水掛け論になるので、損益の数字の動きと、実際のお金の動きとを、はっきり結びつけて説明するように求めた。経理部長は、貸借対照表（バランスシート）の各勘定の動きを追いながら、資金の源泉と使途をあらわした資金運用表をつくり、当期利益と減価償却から出てきた資金がどのようになったのかを説明した。そこで私はやっと現金の収支のみから成り立つ会計であれば出てこないような、固定資産、棚卸資産、受取手形、売掛金などというさまざまな勘定科目がバランスシートにあらわされていることがわかった。

苦労して利益を出しても、それをそのまま新しい設備投資に使えるわけではない。売掛金や在庫が増加すればお金はそこに吸い取られてしまっているし、借入金を返済すればお金が消えてしまう。儲かったお金がどういう形でどこに存在するのか、ということをよく把握して経営する必要があるとそのとき私は痛感したのである。

現在の京セラでは、米国の会計基準にもとづき連結決算報告を作成しているが、米国の会計基準の発展により、資金運用表は近年「キャッシュフロー計算書」となっており、次頁の表のように利益とお金の増減のつながりをきわめて明確に示すものとな

連結キャッシュフロー計算書（例）

（単位：100万円）

摘要 ＼ 期	平成9年3月期（自 平成8年4月1日 至 平成9年3月31日）金額	
Ⅰ 営業活動によるキャッシュフロー		
1．当期純利益		45,650
2．営業活動により増加した純キャッシュへの調整		
(1)減価償却費及び償却費	41,294	
(2)貸倒引当額	△ 151	
⋮	⋮	
(12)資産及び負債の純増減		
・受取債権の（△増加）減少	1,578	
・棚卸資産の（△増加）減少	2,633	
・支払債務の増加	1,597	
・未払法人税等の増加（△減少）	△ 29,569	
⋮	⋮	
(13)その他	7,028	38,227
営業活動により調達した純キャッシュ		83,877
Ⅱ 投資活動によるキャッシュフロー		
1．売却可能有価証券の購入		△ 131,605
2．投資及び長期貸付金の実行		△ 8,906
3．売却可能有価証券の売却および償還		124,583
4．有形固定資産の購入による支払額		△ 45,773
⋮		⋮
9．その他		1,434
投資活動に使用した純キャッシュ		△ 59,529
Ⅲ 財務活動によるキャッシュフロー		
1．短期債務の増加（△減少）		△ 1,334
2．長期債務の調達		1,862
3．長期債務の返済		△ 1,737
4．配当金支払		△ 13,047
5．その他		△ 126
財務活動に使用した純キャッシュ		△ 14,382
Ⅳ 為替相場変動による現金及び現金等価物への影響額		6,133
Ⅴ 現金及び現金等価物純増加額		16,099
Ⅵ 現金及び現金等価物期首残高		168,285
Ⅶ 現金及び現金等価物期末残高		184,384

っている。この計算書では、営業活動によるキャッシュフローに加えて、投資活動や財務活動によるキャッシュの増減がトータルで計算されている。この計算書により、現金およびその等価物の合計である「キャッシュ」の総額が明確に把握できる。このような米国方式の「キャッシュフロー」の会計報告を京セラでは一九九〇年より実施している。

2　資産か、費用か――「バナナの叩き売り」でその違いを見る

収益と費用が、お金の動きから切り離されていくことによって、近代的な洗練された会計手法が発達したわけだが、経営はあくまで原点のキャッシュベースで考えるべきである。

たとえば、あるものを資産として残すのか、費用として落とすのか、経営上これによって大きな違いが出てくる。かつて私は経理部長に次のような話をしたことがある。

極端な話だが、たとえば町でバナナの叩き売りをやるとする。まず青果市場で

バナナを一箱仕入れる。駅前で叩き売りをしようと、手近の八百屋に行って、「リンゴ箱を二つ分けてくれ」と言い、空いたリンゴ箱を三百円で買う。リンゴ箱の上にかける大きな布も要るので、隣の雑貨屋で一枚千円で買う。棒がないと叩き売りにならないので、二百円で手に入れる。こうして商売の道具を一式そろえる。

バナナは一房五十円で二十房を仕入れた。それを百五十円で売ることにする。一房売れば百円儲かるわけだ。そこで日が暮れるまでに幸い全部売れたとしよう。

売上が三千円あって、仕入れた原価は千円だから、儲けは二千円あるはずである。ところが、勘定してみるとお金はそんなにはない。リンゴ箱に三百円、布に千円、棒きれに二百円と道具に千五百円払っているので、手元には五百円しか残らないわけだ。

仮にそこへ税務署が来て、「あなたは二千円儲かったから、その半分の千円を税金として払え」と言うとする。手持ちの五百円から、なぜ千円もの税金を払うことになるのか問うと、「リンゴ箱と布と棒は費用ではなく資産だ」と言う。「千五百円の資産と五百円のお金で二千円になり、それに税金がかかる」というのである。

税務署はリンゴ箱はりっぱな財産だというが、明日には次の土地に移るので捨てていかなければならない。リンゴ箱を分けてもらった八百屋に行って、買い戻してほしいと言っても、「タダならもらってやるよ」と言われるのがおちである。布だって、おろしたてのパリッとしたものであってこそ、バナナがおいしそうに見え売れるのだ。結局、リンゴ箱も布も棒きれも資産としての価値はない。

何度も繰り返して使えて、その価値が残るものは、会計上資産とすることになっているが、「本当に財産としての価値を持つものなのか、そうでないのか」というのは、経営者が判断すべきものである。そして、その判断の善し悪しの結果はすべて経営者の責任である。経営者にとって捨てる以外に方法がないものは、資産とは言えない。経費で落とすべきである。リンゴ箱は三千円の売上を上げるために使った経費であって、八百屋でまたお金を払って買い戻してくれるような資産ではないからだ。

この話は、あるものを費用にするか資産とするかによって会計的には大きな違いになることを、単純化した例えで示したものである。実際にはもちろん、固定資産は土地などを除いて減価償却ができるし、少額のものであれば一時に経費に落とすことが税法でも認められている。

いずれにしても、バナナを売るために買った道具が使い捨てのものなら、それはすべて経費なのである。三千円の収入を得るために合計二千五百円を支払った。だから残りは五百円で、それが手元に資金として存在するわけである。これにかかる税金を払ったあとは、自由に使える。しかし、「千五百円で買った道具は資産だから、儲けは合計二千円だ」と思って、五百円以上使ってしまえば、たちまち資金繰りが行き詰まってしまう。だから、支出がなされたものは、資産としてかかえ込まずにできるだけ早く費用として処理しなければならない。

そうは言っても、経営者にとってすでに使ってしまったお金が会計上ではいつ費用になるのかということを気にしなくてはならないようでは、経営はきわめて難しいものになる。こうしてみると、どのような利益が数字の上で出ていようとも、結局安心して使えるのは手元にある自分のお金（キャッシュ）しかないことになる。つまり、企業を発展させるため、新たな投資を可能にするものは、自分のものとして使えるお金以外にはないのである。

ところで先ほども述べたように、儲かったお金が、どこにどのように存在するのかを明確に把握しておくというのは、経営の基本である。しかし、経理が何日もかかってまとめた決算書を見て初めて、それがどこにあるかをつかむというのでは、「キャッシュベースの経営」にはならない。すでに過去のものとなった事実に対してこれからのアクションはとれないのである。経営はあくまで「リアルタイム」で眼前の事実と渡りあわなければならない。

通常、決算は経理が何日も費やしてようやくまとまる。その中での決算整理におけるさまざまな会計的な評価、判断が利益の数字に実際には大きな影響を与えるのである。たとえば棚卸資産は評価の方法によって金額が大きく変化する。しかし、現在、手元にある資金というのは、その瞬間瞬間に在り高を明瞭につかむことができる。自分で自由に使えるお金、キャッシュがリアルタイムで把握できていなければ、激変する経営環境の中で会社を経営していくことはできない。

だから、さまざまな会計上のプロセスを通じて計算されたペーパー上の「利益」を待つのではなく、まぎれもなく存在する「キャッシュ」にもとづいて経営の舵取りを行うべきなのである。ただし現実問題として、決算上の「利益」というものも、企業活動の成果としてはきわめて重要なものであり、株主への配当金も商法上の「処分可能利益」から行うことになっているので、その意味では当然、これから目を離すわけにもいかない。

そうであれば、この会計上の利益と手元のキャッシュとの間に介在するものをできるだけなくすことが必要となる。私の会計学は、このような観点から、会計上の利益から出発してキャッシュフローを考えるのではなく、いかにして経営そのものを「キャッシュベース」としていくのかということを、その中心に置いている。

3　土俵の真ん中で相撲をとる

お金のことをつねに心配していては仕事ができない。そのため、ぎりぎりの資金繰りは決してしないようにしなければならない。手形が落ちないといって必死に金策に走り回り、ようやく手形を落とし、あたかもすごい経営努力をしているかのように思い込んでいる人がいる。しかし、つねに金策に走り回って自転車操業をしているようでは、本当の経営を行っているとは言えない。マイナスの経営を、やっとのことでプラス・マイナス・ゼロの水準に戻しただけのことである。

京セラを創業して間もないころ、私は松下幸之助氏の講演を聞く機会があった。その講演のテーマは「ダム式経営」というものであった。幸之助氏は会社を経営する際、ダムをつくることで川がいつも一定の水量で流れているように、「ダムの蓄え」を持って事業を進めていかなければならないと説かれた。話のあとの質疑応答の際に、聴衆の一人が、「どうやったらそのような余裕のある経営ができるのでしょうか？」と尋ねた。

幸之助氏は、「その答えは自分も知りません。しかし、そのような余裕のある経営が必要だと思わな、あきませんな」と答えた。聴衆の多くは、この答えに笑ったが、私はこの言葉に深く心を動かされた。

何かを成そうとするときは、まず心の底からそうしたいと思い込まなければならない。「わかってはいるけれど、現実にはそんなことは不可能だ」と少しでも思ってしまったら、どんなことも実現することはできない。どうしてもこうでなければならない、こうしたいという、強い意志が経営者には必要なのである。

このダム式経営と同じ趣旨で、私がよく使う言葉に「土俵の真ん中で相撲をとる」というものがある。土俵際ではなく、まだ余裕のある土俵の真ん中で相撲をとるようにする、という意味である。

土俵際に追いつめられ、苦し紛れに技をかけるから、勇み足になったり、きわどい判定で負けたりする。それよりも、どんな技でも思い切ってかけられる土俵の真ん中で、土俵際に追い込まれたような緊張感を持って勝負をかけるべきだ、ということである。これは企業財務に関して言えば、「つねにお金のことについて心配しなくても、安心して仕事ができるようにすべきだ」ということであり、そのような強い思いが、京セラを早い時期より無借金経営に導いたのである。

世の中の経営者には銀行から借金をして、それを元手に事業を急速に拡大していく方が良いと考えられる方が多いであろう。しかし、最近の貸し渋り問題を見てもわかるように銀行は「天気の良い日には傘を貸すが、雨が降れば傘は取り上げる」と言われている。酷な話に思えるが、お金を貸して取りはぐれたのでは銀行の経営が成り立たないので、雨が降ったら借りた傘は取り上げられるというのは当たり前と考え、どんなときでも自分の力で雨に濡れないようにしておかねばならない。つまり、土俵の真ん中で相撲をとるような経営をつねに心がけていなければならないのである。

現代は技術革新が急速に進み、わずかな間に事業環境が一変してしまうこともある。そのような中で事業を続けていくためには、予測を上回る膨大な資金を研究開発や新規設備に投入しなければならない事態に追い込まれるかもしれない。そうであっても、経営者は社員の生活や株主の利益を守らなければならないのである。

しかし、もし、資金に余裕を持っていなければ、このような問題に追いかけられるばかりで、将来をみすえた積極的な手が打てるはずはない。だから、経営者は必要に応じ使えるお金、すなわち自己資金を十分に持てるようにしなければならないのである。そのためには、内部留保を厚くする以外に方法はない。すなわち、企業の安定度を測る指標である自己資本比率を高くしなければならないのである。

欧米の企業と比べ、日本の企業はどうしても借入を前提として経営を進めるということになりやすい。自分の利益を積み重ねて、自分のお金で経営をするというのではなく、まず銀行からお金を借りて経営する。利益を出して税金や配当金を支払うよりも、借金して金利を支払った方が節税にもなり、メリットが大きいという考え方である。

ところが、借入による資金の調達は、市場における金利や資金需給の動向、政府や金融機関の政策や方針といったものに直接の影響を受ける。新しい事業や生産設備の拡大のための投資が、このような事情によって、タイミングを失いかねない。また、資金を貸してくれる銀行の意向を気にするあまり、まったく新しい事業を行うための投資は、実施しにくいものとなるかもしれない。

資金を銀行から借り入れる場合には、返済計画を明らかにしなければならない。当然返済の支払いは元本に利子が加えられたものとなる。

京セラ自己資本比率推移（創業後15年間）

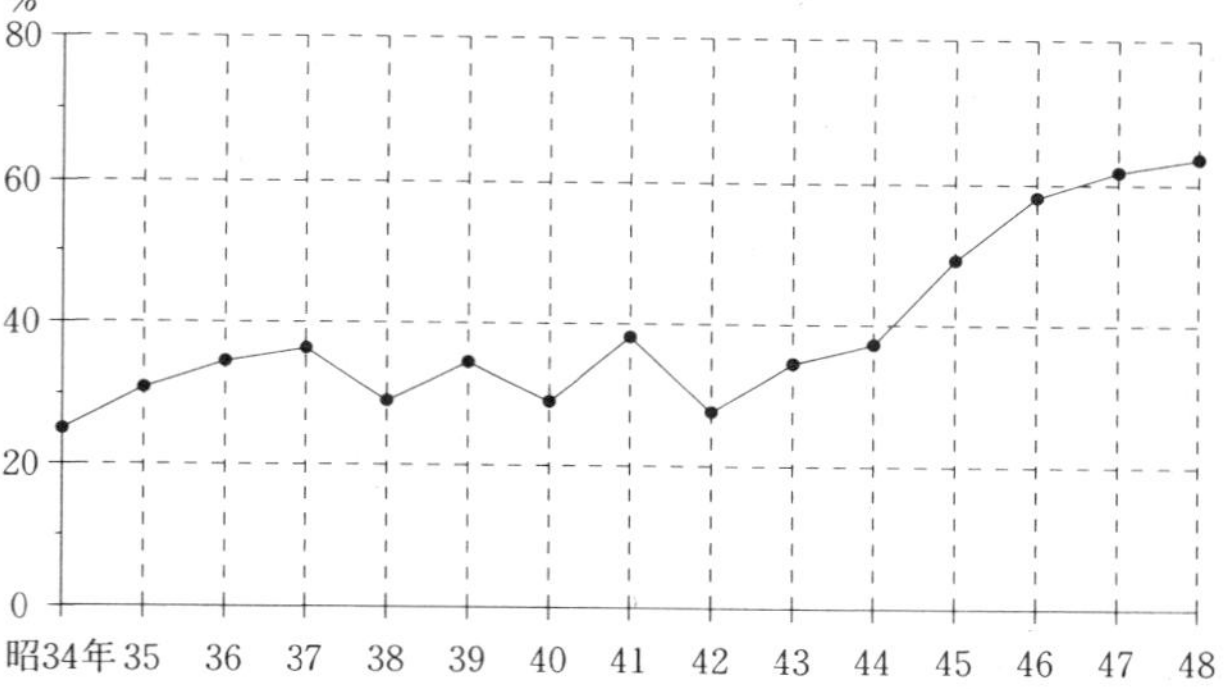

一方、企業が直接事業から借入の返済にあてることができる原資は大きく二つの源がある。それは、税金を支払ったあとの利益である税引後利益と、会計上経費としているが実際には手元にキャッシュとして残っている減価償却費である。つまり、安全に経営をしようと思えば、減価償却プラス税引後利益で返せる範囲のお金でしか設備投資をしてはならないことになる。

私がとにかく借金はできるだけ早く返そうとしたために、比較的早い時期から京セラは自己資本の比率を高くすることができた。具体的には、上のグラフの通り創業より十五年目で、総資産に占める自己資本の比率を七〇パーセント近くまで高めることができた。

これは、自己資金を蓄積し、それをもとにさらに大きな自己資金が生み出せるような経営を進めるという、「キャッシュベースの経営」の結果であると考えている。

4　勘定合って銭足らず

前述したように、近代会計は「発生主義」にもとづいて発展し、それによって会計そのものは非常に高度で複雑なものになった。ところが、そのために計算されて出てくる利益が、実際に手元にあるお金の動き、すなわち「キャッシュフロー」とすぐには結びつかないものになった。

しかし、最近この「キャッシュフロー」は、会計学でも非常に重視されるようになってきている。利益ではなく将来どれだけのキャッシュを生み出す力があるのかによって企業を評価すべきである、という考えにもとづいたアプローチが、専門家の間ではすでに一般的なものになっているのである。とくに米国では、貸借対照表や損益計算書と並んで、「キャッシュフロー・ステートメント」が正規の決算報告を構成するものとして明確に位置づけられ、決算報告書には必ず含まれるようになっている。

この傾向は、経営者にとっては歓迎すべきものであり、私の会計学にも通ずるところがある。ただし、現在のこの「キャッシュフロー」とは、発生主義によって計算した利益に対して、減価償却費などの現金の動きをともなわない項目を調整したものである。これに対して私の言う「キャッシュベースの経営」は、経営そのものを実際の「キャッシュ」の動きと「利益」とが直結するように近づけていくことを意味している。

私はよく「勘定合って銭足らず」という言葉を使ってキャッシュベースで経営することの重要性を強調している。毎年何とか決算上は利益が出ているのに、実際の資金繰りは苦しく、いつも資金が不足しているというような会社をよく見受ける。これは、「キャッシュベース」ではなく、決算上の「利益ベース」のみで経営している結果であろう。

会計の専門家の世界では「利益が上がればその分の現金がなければならないと考えるのは会計の素人だ」ということになるのかもしれない。しかし、本来的には事業活動から得られる利益こそが「キャッシュ」の大きな源泉である。だから、もし会計学が「キャッシュ」とは完全に切り離された決算上の「利益」を計算するものでしかないのなら、実際の経営には使えない無用の学問ということになりかねない。

「儲かったお金はどこにあるのか」というのは、経営者が決算書を見るたびにつねに胸に呼び起こさなければならない大切な問いかけなのである。

第二章　一対一の対応を貫く【一対一対応の原則】

この章で述べる「一対一の対応」というのは、「キャッシュベースの経営」と並んで私の会計学を貫く基本原則である。「一対一の対応」の原則は、会計処理の方法として厳しく守られなければならないだけではなく、企業とその中で働く人間の行動を律し、内から見ても外から見ても不正のないガラス張りの経営を実現するために重要な役割を担うものである。

1　モノ・お金の動きと伝票の対応は

経営活動においては、必ずモノとお金が動く。そのときには、モノまたはお金と伝票が、必ず一対一の対応を保たなければならない。この原則を「一対一対応の原則」と私は呼んでいる。

これは一見当たり前であるが、実際にはさまざまな理由で守られていないのが現実である。たとえば、伝票だけが先に処理されて品物はあとで届けられる、これと逆に、モノはとりあえず届けられたが、伝票は翌日発行されるといったことが、一流企業と言われる会社でも頻繁に行われている。このような「伝票操作」ないし「簿外処理」が少しでも許されるということは、数字が便法によっていくらでも変えられるということを意味しており、極端に言えば企業の決算などは信用するに値しないということになる。

実際、期末に苦しまぎれに売上を水増しする例もよくあると聞く。取引先に電話を入れて、「今期、売上がどうしても足りない。これこれの内容で十億円の売上伝票をこちらで立てるが、来期早々に返品を入れてもとに戻すので、よろしく」というような依頼をする。取引先とのつじつまだけ合わせて伝票を上げて、期末の売上を少しでもよく見せようというのである。このようなことが一度でもあると社員の感覚が麻痺してしまい、数字は操作できるもの、操作して当然のものと、考えるようになってしまう。

その結果、社内の管理は形だけのものとなり、組織のモラルを大きく低下させる。数字はごまかせばいいということになったら、社員は誰もまじめに働かなくなる。そんな会社が発展していくはずがない。

「一対一対応の原則」とは、このような事態を防ぎ、発生したすべての事実を即時に認識し、ガラス張りの管理のもとに置くということを意味する。社内に一対一の対応を徹底させると、誰も故意に数字をつくることができなくなる。伝票だけが勝手に動いたり、モノだけが動いたりすることはありえなくなる。モノが動けば必ず起票され、チェックされた伝票が動く。こうして、数字は事実のみをあらわすようになる。

この「一対一の対応」における要諦は、原則に「徹する」ことである。事実を曖昧にしたり、隠すことができないガラス張りのシステムを構築し、トップ以下誰もが「一対一対応の原則」を守ることが、不正を防ぎ、社内のモラルを高め、社員一人一人の会社に対する信頼を強くするのである。

またこうすることにより、伝票の数字の積み上げが、そのまま会社全体の数字になり、それにもとづいた決算書が会社全体の真の姿をあらわすようになる。このように一見「一対一対応の原則」は非常にプリミティブな手法に見えるが、それを徹底させることによって社内のモラルを高めると同時に、社内のあらゆる数字を信頼できるものにすることができるのである。

2 アメリカでの経験——売上と仕入れの対応

京セラ創業から三年目の一九六二年、私は初めてアメリカへ渡った。当時日本ではセラミックの市場はきわめて限定されていたので、私は最先端のエレクトロニクスや半導体の産業が大きく発展しつつあったアメリカで、どうしても自社のセラミック製品を売りたかった。最初はまったく注文も取れずたいへん苦労したが、一九六八年には、後に半導体産業のメッカとなったシリコンバレーの近くにある、カリフォルニアのサニーベイルというところに営業所をつくり、現地での仕事を始めることになった。そのとき、それまで本社で貿易部長をしていた海外経験豊富な上西さんに、入社したばかりの若い社員をつけて、アメリカ駐在員として赴任してもらった。

その当時の新入社員が、現在京セラ専務の梅村君である。上西さんは英語が堪能だが、会計は何も知らない。梅村君は理工系出身であり当時英語もしゃべれなければ、会計の知識もなかった。そこで、サニーベイルに事務所をつくったとき、サンフランシスコにいた日系二世の公認会計士に経理を指導してくれるように頼んだ。伝票処理をするのは梅村君の役目だったが、なかなかうまく覚えられず苦労していたようだ。

私もそのころまだ会計のことをあまりよくわかっていなかったので、アメリカへ出張した際、「一緒にスタンフォード大学の図書館に行って経理の勉強をしてみよう」と思い立ち、梅村君を誘ったことがある。サンフランシスコ郊外にあるスタンフォード大学の図書館に行ってみると、面白いことに難解な専門書だけでなく八百屋の店主が簿記をつける方法というようなわかりやすい本まで置かれていた。まさに実学の国アメリカであると思い、二人で一緒に基礎から経理の勉強をしたことを覚えている。

やがて、幸いアメリカでの仕事も順調に行き始めた。ちょうどシリコンバレーの半導体産業の勃興期で、当時最大の半導体メーカーであり、その後半導体産業の飛躍的な発展の母体となったフェアチャイルド社からの注文が増加していた。梅村君も営業活動や製品の発注と納品管理さらには経理と、超人的な働きで、一人ですべてをこなしていた。

駐在員事務所が発展して現地法人となった直後に渡米した私に、梅村君はいさんで「社長、順調に行き始めました。上西さんも大変喜んでいます」と言う。事実、半期ごとで見れば、順調に売上も、利益も伸びていた。ところが、月次決算を見ると、大赤字を出したり、大黒字を出したりしている。

私は、「こんなことがあるわけないではないか。一対一の対応でなければならない、と言っているでしょう。ある月はこれだけ売ってこんな赤字が出て、翌月は同じような売上でこんな黒字が出るというのはおかしい。どうなっているんだ」と聞いた。しかし、梅村君は「いや、公認会計士の言う通りにやっています。確かにこうなるんです」と言う。そんなバカなと中身を調べてみたら、やはり、一対一の対応ができていない。実際の処理は次のようになっていた。

顧客であるフェアチャイルド社にせかされて日本から製品を航空便で送る。サンフランシスコの空港に着くと、すぐに乙仲業者が荷揚げをし、税関を通して、サニーベイルの事務所に届ける。梅村君はフェアチャイルド社から「早く品物をくれ。今すぐ必要だ」と矢のような催促を受けているから、とにかく急いで持って行く。そのときにきちんと売上伝票も起票する。

ところが、日本の京セラからこのサニーベイルにある現地法人宛の出荷請求書類である「船積書類」は、銀行経由で一週間くらい遅れてアメリカへ届く。そのとき初めて、それにもとづいて梅村君は仕入れを計上する。結局、彼はアメリカでは売った製品の仕入伝票処理をしないまま、売上伝票を上げていたわけである。だから、月末にドッと日本の工場から製品が届き、それを顧客に納めたら利益が大きくなるのだが、一週間後に仕入れが立つと翌月に大赤字が出る。こうして月々の利益が大きく変動していたのである。このことを指摘すると梅村君は、どうしても銀行経由の「船積書類」が届いて支払いが確定しないと仕入処理ができないという。

それはその通りだが、「一対一対応の原則」は必ず守らなければならない。そのためには、モノが入ったときに必ず仕入れの伝票処理ができるよう、モノが入荷した際に仕入伝票を起こして京セラに対する買掛金を計上すること。その後、銀行から「船積書類」が届いたときに、仕入伝票とそれを突き合わせて、買掛金を銀行に対する支払債務に振り替えること。この二点を、梅村君に指示した。

個々の取引の処理は忠実にできているように見えても、売上と仕入れが一対一の対応になっていないために、この例のように利益が売上実績に結びつかない変動を毎月繰り返している場合がある。いくら経理が一生懸命やっていても、一対一の対応で正しく処理されていない月次決算をつくっていては、間違った数字にもとづいて経営判断をしていることになり、会社の舵取りを誤る恐れがある。

3　米国現地法人の会計監査

この米国での会計の問題については、次のようなエピソードがある。

京セラが初めて株式を上場しようというとき、決算書に監査証明をもらうため宮村久治さんという公認会計士を紹介いただいた。

早速お願いにあがろうと思っていると、その前に先方から、「ご依頼いただくとのことですが、あなたがどのような経営者なのかを見たうえで、引き受けるか受けないかを決めたい。お金を払って監査をしてもらうのだから、誰が頼もうが文句はないだろうということではありません。お願いされることはありがたいのですが、それを受けるか受けないかは、依頼される方の人物を見たうえで決めます」と言ってきた。

実際に会うと、さらに厳しいことを言われた。

「監査をしている会計士に、『このくらいは負けてくれよ、このくらいはいいではないか、堅いことを言うな』というようなことを言う経営者がいます。私はそういう方とは一切お付き合いしたくありません。経営者はフェアでなければいけません。正しいことを正しくやれる経営者でなければ、私は監査の依頼をお受けしません。よろしいですか」

私は、すぐさま応じた。

「結構です。私の生き方がそうなんですから。願ってもないことです」

すると、このような言葉が返ってきた。

「みんなそう言うんです。今は会社の調子がいいから、そう言われるんです。経営がおかしくなって調子が悪くなってくると、何とかせいと必ず言うようになります。人間というのは、調子がいいときにはみんなフェアで、文句を言いません。ところが、悪いときにもフェアであるかどうか。それを私が見抜かなければいかんのです」

「その点は約束しましょう。いいときだけきれい事を言うんじゃなしに、悪いときでもあくまでフェアに。それを私は守っていきます。信用してください」

つくづく頑固な会計士だと思ったが、やりとりの末、最後には「それだけおっしゃるなら、お引き受けしましょう」と言ってもらい、会計監査をお願いすることになった。

いよいよ上場すると決まったときも、宮村さんは、「ベンチャーで創業して、こんなに早く上場しようというんだから、社内の管理システムもまだ整ってはいないだろうし、あちこちいろいろな問題があるはずだ。しかも、経営のトップは理工系出身の技術屋で、経理は何も知らない。そういう人が業容を拡大し、海外にまで現地法人をつくっているのだから……」と、こぼしておられた。

彼が最初に取りかかったのは、内部管理の監査だった。そして一番先に目をつけたのが、もっとも目の届かない海外である。先ほど述べたカリフォルニアのサニーベイルにある京セラの現地法人までわざわざ出向かれた。行ってみると、これまた理工系出身の男が、英語もうまく喋れないのに、営業から経理までたった一人で全部やっている。宮村さんは、もう推して知るべしだと思ったらしい。

ところが、いざ調べてみると、すべての伝票が一対一対応で処理されている。現預金の管理をする小さな金庫があるのだが、金庫を開けて現金と帳簿を照らし合わせると、一セントたりと違っていない。宮村さんは、それ以来、京セラの会計システムを見直されたという。

要するに、一対一の対応ができているか、できていないのか、ということが問題なのである。この米国の現地法人においても、それまで一対一の対応を厳守してきたため、経理的な問題を起こすことはなかったのである。その後、この現地法人は米国各地に拠点を広げ、今では従業員が二千人、売上高は年間七億ドルを超えるまでに成長していったのである。

4　売掛金・買掛金の消し込み

大手の製造業では組織がさまざまな事業部に分かれ、部材の発注はそれぞれの事業部から業者に出されることが多い。このような場合、買掛金の管理は本社経理に集中されていて、各事業部の購入額に対して、経理からはまとめて相手企業に支払われることが多い。

京セラの取引条件は各社各様だが、製品を顧客に納めてその検収があがった月の月末締めの翌月払いで九十日の手形で代金をいただく、というものがある。ずいぶん前のことだが、「資金面の事情により、支払いを少し調整したい」と顧客より依頼を受けた経験がある。具体的には、「今月支払対象の買掛金が五千万円あるが、資金繰りがつかないので、とりあえず二千万円払いたい」という依頼である。

そのとき私は、「それはどの品物のお金ですか?」と確かめた。「その二千万円は仮払いですか? それとも、どこかの事業部に納めた分ですか? A事業部に納めたこの品物、B事業部に納めたこの品物、それを合計すれば二千万円になるから、その分を今日は払うというのでなければお受けできません。そうしなければ、当社では売掛金と対応させた消し込みができず、社内の経理処理ができないからです」と答えた。

売掛金を回収する場合は、この品物の入金があった、あの品物の入金があったという消し込みをしていかなければならない。グロスで二千万円というラフな消し込みはできないはずなのである。出荷の場合だけでなく支払いの場合でも、一対一対応でやってもらわなければ、正確な処理はできないのである。

また、買掛金を支払う場合にも、「何月何日に買ったこの品物の代金を今回お支払いします」という具合に一対一で正確に処理する。グロスで何百万円というようなラフな払い方はしない。このようにお金を支払う場合でも、受け取る場合でも、必ず一対一の対応を守るようにしなくては信頼に値する会計資料はつくれない。

5 「一対一の対応」とモラル

「一対一の対応」は企業の中であらゆる瞬間に成立していなければならない。客先に製品を出荷するときは、かならず出荷伝票を発行して売上を計上し、以後売掛金として管理し、入金までフォローする。製品の配送を運送業者に託しても、あるいは営業マンが客先に直接に届けに行く場合でも、この手続は同じである。

京セラの創業当初は、納入する客先の多くは企業の研究所や公的な研究機関であった。その研究者から「こういう実験をやりたいので、こういうものをセラミックでつくってほしい」と頼まれて、さまざまな製品をつくっていた。先方の実験の進み具合によって、約束した納期などはさておき、「とにかくできた分だけでもすぐに持ってくるように」と急に言われることも珍しくなかった。そのようなときは、営業があわてて飛んで行き、ともかく品物だけを置いて帰ってくるというようなこともあった。

製品を動かす場合には必ず伝票を「一対一の対応」で発行する必要があるのに、「大至急必要となった。夜中になってもいいから何とか届けてくれ」と言われて、まだ製造の現場にあるものをとりあえずそろうだけ届ける。夜中であるから正規の事務処理ができない。「伝票は明日に」と思いつつ、いつのまにか忙しさにまぎれて忘れてしまう。月末近くになって製造の方から「あれはどうした。いつ売上になるのか」と言われて、あわてて飛んで行っても先方では当の製品はどこかにまぎれ込んでしまって確認のしようがない。結局、伝票処理はなされぬまま、お金がもらえない。そのようなケースが数多くあった。このようなことは客先を大切にしている会社ならいつでも起こりそうなことだが、私は顧客を満足させることと経理処理を正確に行うことはまったく別であり、両方とも徹底しなければならないと考えていた。だからどんな場合でも、一対一で伝票を発行しなければ、モノを動かせないようなシステムを構築していったのである。

モノの動き、お金の動きをともなう事実がすべて一対一で伝票に起こされ、正規のルートで正しく処理されているということは非常に単純なように見えるが、それが健全な経営を守るためにどれほど大切なことであるかは、昨今の企業における不正処理、不祥事の数々を思い起こせば、容易にご理解いただけると思う。

第三章　筋肉質の経営に徹する【筋肉質経営の原則】

企業は永遠に発展し続けなければならない。そのためには、企業を人間の体に例えるなら、体の隅々にまで血が通い、つねに活性化されている引き締まった肉体を持つものにしなければならない。つまり、経営者はぜい肉のまったくない筋肉質の企業をめざすべきなのである。私はそのことを「筋肉質の経営に徹する」と表現しているが、それは私の会計学のバックボーンにもなっている。

たとえば、会社の株式が上場されると、どうしても会社をよく見られたいという意識が出てくる。高い株価を維持したいという欲求にかられて、利益をはじめ、すべてのものをよく見せたいと思うようになるのである。しかし見えを張れば、ぜい肉ばかりがつき、不要な負担を増すばかりとなる。

誰でも、人間は少しでも自分をよく見せたいという気持ちがある。もしこのような虚栄心が強い経営者であれば、その企業は見せかけだけ飾られた、ぜい肉だらけのものになるだろう。本質的に強い企業にしようというのであれば、経営者が自分や企業を実力以上によく見せようという誘惑に打ち克つ強い意志を持たなければならない。

1　中古品で我慢する

京セラも初期のころは、会社としての余裕もなく、とにかく倹約を旨としていた。事務所の机や椅子も新しいものを買うのではなく、中古屋で山ほど売っている安いスチール家具を買ってきて使っていた。たとえ新入社員に対しても、事務作業をするのに新しい事務机や椅子が要るわけではないであろうと、中古の机を買って与えていた。他の会社が移転をするとき、今まで使っていたものを処分し、新品の何分の一という値段で売っているのである。

製造設備を購入する場合も、どうしても現場の技術者は新品の機械を買いたがるが、私は「機械や設備は、もし中古で間に合うのなら、それで我慢をせよ」と言ってきた。性能が優れた機械があっても安易に買うことは許さず、現在ある機械をいかに使いこなすかを徹底的に考え、創意工夫をこらすよう教育してきた。

創業間もないころ、初めて米国を訪問した際に、競合するアメリカのセラミックメーカーの工場を見学する機会があった。そこには最新のドイツ製の素晴らしいプレス機械が整然と並び、リズミカルに動いていた。京セラでは、自ら設計したプレス機械を懸命に動かして苦労していたころである。

最新鋭の工場を見て回りながら、ドイツ製の機械はスピードといい、性能といい素晴らしいのに驚き、「この機械は一台、いくらするんですか」と訊ねると、そこの工場長が、目の飛び出るような値段を答えた。そのときすぐに、私はこう考えた。「こんなに高価な機械だが、一分間で一体何個つくっているのだろう。京セラで動いている自作の機械でもこの半分は生産をしている。つまり、生産性は半分はある。この設備の投資総額に比べて、その何十分の一の値段の機械の生産性が半分あるなら、設備投資の効率から言えば、自作の機械の方が勝っているのではないか」

普通は、あまりそういう計算はせず、最新鋭の機械がなめらかに動いているのを見て、これに追いつかねばならないと、一日も早くその機械を導入することを考えるのではないだろうか。そのような設備投資を行えば、生産性それ自体は必ず向上するであろうし、最先端の技術を使っているという満足は得られるかもしれない。しかし、実際はそれがそのまま経営効率の向上につながるとは限らないのである。こういった見えを張った過剰な設備投資を繰り返していくことは、かえって経営体質を弱めることになるし、限られた経営資源を大事に生かすということにもならないのである。

2 健全会計に徹する――「セラミック石ころ論」

京セラのセラミック部品は、創業からしばらくはすべてが客先から「こういうものをつくってくれ」と言われた受注生産品であった。たとえば、テレビ用のブラウン管の絶縁部分にこういう形状の絶縁部品がほしいと言われて、客先のエンジニアなどと協議をしながら材質やデザイン等を決め、それにもとづいてセラミック部品をつくっていた。こうして製造されたセラミック部品は、客先がそのブラウン管を必要とするテレビを製造している間は価値があり、当方にも、客先にも利益をもたらす。

ただしセラミックであるため、一度焼成してできあがると、もうほかのタイプのものに手直しすることはできない。それは工程の途中であっても不可能に近い。そこで問題となるのは、在庫として残ったものの価値をどう評価するかということである。たとえば、客先から一万個の注文をもらった場合、製造は歩留まりや継続する注文の納期対応などを考慮して一万二千個つくり、一万個を客先に納め、あとの二千個は会社に在庫として残すとしよう。一個が百円だとすると、それが二十万円分の在庫として帳簿に計上される。

ところが、客先がもうその型式の機種はつくらないということになれば、その在庫は無価値になってしまう。しかし、通常帳簿のうえでは在庫として残り、資産として扱われることになる。すでに実質的には無価値になっているのだから、余分となった二千個を資産と思うこと自体が現実に合わない。いかにコストをかけてつくり、物理的に「良品」であっても、それはすでにセラミック部品としては役立つものではなく、いわばそのへんの「石ころ」にすぎない。

この考え方にもとづき、このような在庫を無評価にしていたところ、税務調査において問題とされた。

「なぜ、この在庫の評価がゼロになるのですか？　これは一個百円で売ったもので、原価が五十円だから、原価で評価をして計上すべきものです」

「しかし、それはもう売れる見込みもない、捨ててもいい製品です」

「捨てるのは構いませんが、捨てるまでは資産ですよ」

税務署は捨てればいいと言うのだが、実際そうするのは少しもったいない気もするし、かといって置いておけば資産と見なされてしまう。

「では、これは一応ゼロにしておいて、売れたら税金を払えばいいんでしょう」

「そうはいきません。売れたときに払えばいいというものじゃありません。資産だと見なせば、その分所得を増やして税金を取ります」

いつ売れるという見込みもない、むしろ売れないと考えておくべきものなのに資産とされて税金を取られる。それでは健全な会計とはまったく逆になり、企業の体質は弱くなっていく。やむなく、当分注文の見込めないセラミック部品は、文字通り「石ころ」として捨てることにした。強い筋肉質の会社にするために、不良資産を抱えないことにしたのである。これが私の言う会計学における「セラミック石ころ論」の意味するところである。

メーカーの場合では、とくに受注生産をしている場合、中でもOEM（相手先ブランドによる委託生産）で生産している場合に一番この問題が起こりやすい。たとえば工作機械三台の注文をもらうとすると、部品は念のために四台分発注し、トラブルに備えるとする。しかし、運よく三台とも問題なく良品ができた。ところが、あと一台分の部品がまだ残っている。もちろんその機械は客先仕様で受注したものであり、ほかに売れるものではない。また、次の注文がいつくるというあてもない。そのような場合、いつまでも部品を抱えておくのではなく、できるだけ在庫評価をせずに帳簿から落とすべきなのである。

メーカーの在庫販売や一般の流通業の場合でも、どうしても仕入れた中には売れ残るものが多かれ少なかれ出てくる。このようなものを含めて、在庫は仕入れた値段で棚卸されているのが普通である。また、実際の棚卸は、経営者が自ら行っているのではなく、担当者がもののあるなしだけで通常実施している。そうしていると必ず長期間にわたりまったく売れていない品物が、今後も売れる見込みもないのに倉庫でほこりをかぶり、何度も棚卸されているケースが出てくる。すなわち、すでに価値のないものが財産として置いてあり、資産となっているのである。こうして結果としては、利益が見かけ上増えて、不必要な税金を払っているという場合が出てくるのである。

その意味で棚卸は人任せにせず、本来経営者が自分の目で見て、自分の手で触れて行うべきものである。自分も一緒になって倉庫で検品をして、「これは三年前から一向に売れていないではないか、これはもう捨てなさい」と言ってこまめに見て回るようにすべきものである。このように、こまめに気を配って、会社の資産をスリムにしなければならないというのが、「セラミック石ころ論」の真意なのである。

これは健全な経営を行ううえで非常に大事なことである。しかし、最初のうちは誰でもそう思い不良資産を落とそうと思っていても、決算が近づくと、会社の実績を少しでもよく見せたいと思うようになる。そうすると、売れないものであってもできるだけ資産に計上したいという衝動に駆られてしまう。意図して粉飾決算をしようとするわけではない。しかし、会社や自分の評価を気にして、このような誘惑に負けるようなことがあってはならない。そのためにも、経営者は自らを律する確固たる経営哲学を持っていなくてはならないのである。

3 「固定費」の増加を警戒する

設備投資は、減価償却費として固定費の増加をもたらす。また、人件費も固定費の中で大きな部分を占めており、正社員が増えれば、それだけ固定費も増加するのである。とくに間接部門では、いつのまにか人が増えているということになりやすい。

そこで筋肉質の経営をするために重要なことは、原材料費などの操業度に連動する変動費を下げるだけでなく、固定費を一定もしくはできるだけ下げて、利益率を高めるということである。すなわち、図で示すように、総費用をできるだけ下げていくことで、損益分岐点を下げていき、結果として利益を増やしていくことである。

先ほど述べたドイツ製の高価な機械の例であれば、当時の自社製の機械はその何十分の一という値段であり、固定費は非常に少なくてすむ。またそのころは人件費の水

固定費・変動費削減と利益の関係

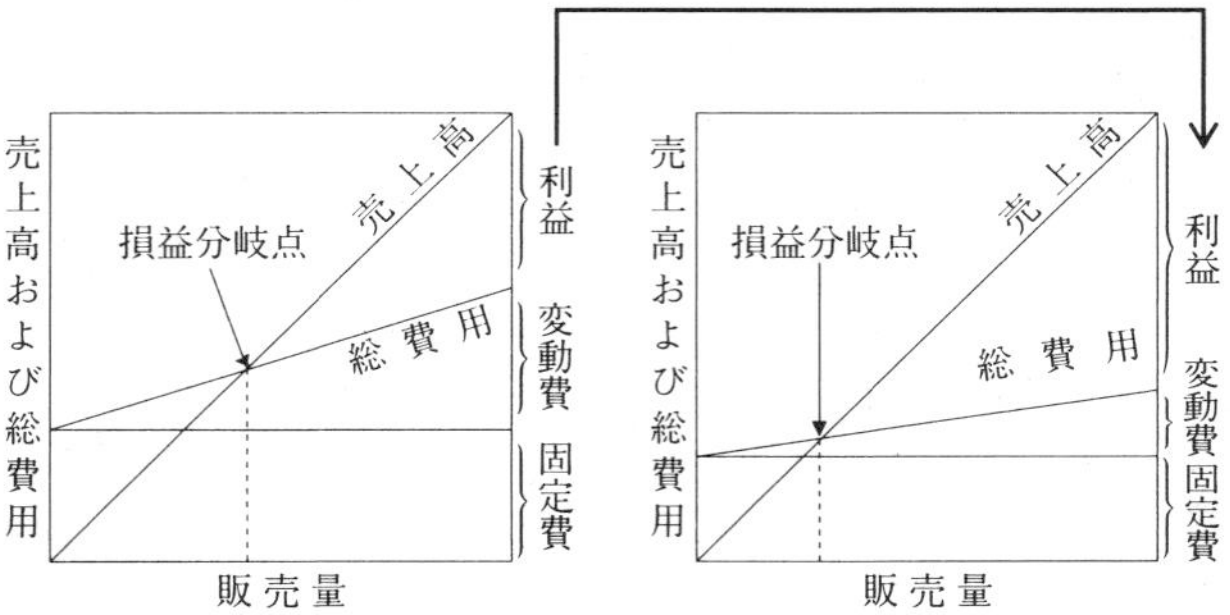

準もドイツより日本の方が低かったために、設備の生産性がたとえ半分であっても十分に対抗できるというわけである。エンジニアや経営者も、優秀な最新鋭の機械をほしがり、それを買わなければ競争に負けると思い込みやすいが、逆に設備導入により固定費を大きく押し上げて、経営体質を弱くすることがあるということを十分に認識しておかなければならない。

このように設備にしろ社員にしろ、会社経営にとって固定費の増加は、十分警戒しなければならない。経営者が前向きに経営を進めていると思いながら、ふと振り返って見れば固定費が信じられないほど増加しており、もうあと戻りもできなくなってしまっていることがよくある。積極的な手を打ったつもりが、かえって経営体質を脆弱なものにしてしまうというケースは珍しいことではない。固定費は増やすまい、減らそうと、つねに意識していないと、あっという間に増加し、企業の体質を悪化させてしまうものなのである。

しかし、実際に経営を行う際には社員に固定費の増加を警戒することの意義が十分理解されていないと、それが社員の事業拡大や生産性の向上への意欲を低下させてしまいかねない。固定費を減らし筋肉質の経営体質を実現することは、会社をより強くし、さらなる事業拡大へチャレンジするために必要な努力であることを全社員によく理解してもらわなくてはならない。

4　投機は行わない——額に汗した利益が貴い

私にとって投資とは、自らの額に汗して働いて利益を得るために、必要な資金を投下することであって、苦労せずに利益を手に収めようとすることではない。私の会計学には投機的利益をねらうという発想は微塵もない。だから余剰資金の運用については、元本保証の運用が大原則であり、その中に投機的な資金運用のための「リスク管理」などはまったく含まれていない。

かつて「財テク」という言葉が当たり前のように使われ、企業の経理・財務部門でも一時的な運用利益を追ったあげくに、最終的には会社の根幹を揺るがすほどの甚大な被害をもたらすという例が数多く見られた。このようなことが起きるのは、自ら働いて得る利益を尊ぶという原理原則を経営者が無視した結果である。

一九七三年十月に始まる第一次石油ショックによる日本経済の混乱がまだ続いているころ、ある都市銀行の支店長が訪ねてきて、こう言われたことを覚えている。

「二年くらい前から不動産が値上がりしています。みなさん土地を買って、転売して儲けておられます。御社は、利益が上がった分当行に預金をしていただいて、それはそれでありがたいのですが、世間では金を借りてでも土地を買っておられます。今は手持ちの資金にさらに銀行から借りて上乗せして土地を買う時代です。御社には、当行はいくらでもお貸しします。値上がり確実な不動産もたくさんありますので、ぜひご紹介をさせていただきたいのですが」

私は、「自分で額に汗して稼いだものしか利益ではない」と思っている旨を述べて、この話を聞くだけですませた。

その半年か一年後に、当時のバブルが弾けて、名の通った会社がつぎつぎに経営破綻に追い込まれた。そのころ京セラはまだ小さな会社だったが、いくつかの雑誌や新聞の記者が訪ねてきて、こう聞かれた。

「今回の倒産劇を見てどう思われますか。どの企業も値下がりした不動産を抱え込んで困っていますが、京セラさんにはそういったことが一切なかったと聞いています。その先見性はどこから出てくるんですか」

私は率直に答えた。

「みなさんが言われるような先見性があったのではないんです。ただ私は浮利を追うのが好きではありません。それだけのことです。不動産を転がすような金儲けは嫌だったというだけのことです」

その後、一九九〇年代初頭のバブル崩壊までに、幾度かバブルが膨らんではじけている。一度火傷をしても、過ぎてしまうとたちまちにその痛さを忘れ、同じことを繰り返しているのはなぜだろうか。株や土地がいつまでも上がり続けるとはとうてい思えないのに、自分だけは損をしないと信じ込んでしまう。世の中の動きにあおり立てられると、それに逆らって自分の意志を貫くということは難しいことなのかもしれない。しかし、多くの社員に対して責任を負う経営者は、他人を見てその真似をするのではなく、あくまでも自分の中にある原理原則や行動の規範に従うべきである。時勢に付和雷同し、流されるような経営をしてはならない。

投機というのは、「ゼロサムゲーム」と言われるように、基本的に誰かがほかの者の犠牲の上に利益を得ることである。だから、もし投機的な利益を得たとしても、それは世の中に対して新たに価値を創り出したことにはならない。本当の経済的価値、すなわち人間や社会にとってプラスになるような価値は、投機的活動によって増加するわけではないのである。

企業の使命は、自由で創意に富んだ活動によって新たな価値を生み出し、人類社会の進歩発展に貢献することである。このような活動の成果として得られる利益を私は「額に汗して得る利益」と呼び、企業が追求するべき真の利益と考えている。

投機的利益の追求は射幸心をあおるようなゲーム的性格を強く含むためか、不幸にして多くの人々をひきつける。何ら創造的な活動ではない投機が、たちまちのうちに人を夢中にさせる魔力を持つのである。しかし、その魔力に負けて社員を不幸にさせることがないよう、経営者はあくまで自分の原理原則を堅持し、何が正しいのか、会社の使命とは何かというところから行動をする必要がある。

5　予算制度は合理的か——「当座買い」の精神

通常、来年度の事業計画を立てる場合、「売上は前期売上の何%増しにしよう、それには当然、マンパワーも要るだろうから、人員はこれだけ増やそう。さらにこれだけの売上を上げるためには新たな支店を設けよう。そのための営業経費も増えるだろうから……」というように必要な経費項目を全部挙げて予算をつくる。

私は今までこのような予算制度を実施してこなかった。なぜなら、人を増やそう、支店を増やそうという経費に関するものは、計画通りにどんどん進んでいくが、肝心の売上が計画通りに増えないことが多いからである。「売上はなぜ増えないのか」と尋ねると、「いや、頑張っているんですが、今は不況でなかなかうまくいきません」というような答えが返ってくる。そのうえ「現状を挽回するためには、さらに思い切って人員を増やす必要があります」というように、経費のみがさらに増えていく場合が多い。もともと計画した売上を達成するため経費を使っているのだから、売上も経費にともない増えていくべきなのだが、実際にはそうならず、費用だけが増えていく。

つまり、使う方の予算だけは厳守され、入ってくる方の売上は期待通りには増えない。それが予算制度の実態ではないだろうか。それゆえに、私は「予算制度は要らない。要るお金はその都度、稟議を出せ。その都度決裁をする」という方法で経営をしてきた。

さらに京セラでは、原材料などの購買について、毎月必要なものは毎月必要な分だけ購入するようにしている。場合によっては、毎月ではなくて、毎日必要な分だけを買うようにしているケースもある。私はこれを「一升買い」と呼び資材購入の原則としてきた。たとえ、一斗樽でまとめて買えば安くなりますと言われても、今必要な一升だけを買うようにしてきたのである。

実はこの考え方は私の子供のころの体験からきている。私の実家は、印刷と紙袋の製造を業としていた。家の離れに工場があり、従業員も十数人いて、その中で父親も母親も働いていた。母親は明るく快活な女性で、父親は実直でまじめな、本当に仕事一途の人間であった。父親は、鹿児島市内から十五〜二十キロ離れた田舎の出身であり、そこから親戚の農家の人がよく近所までサツマイモや里芋など、いろんな野菜を乗せて大八車を引いたり、天秤棒を担いだりしてやって来ていた。夕方になると帰っていくのだが、そのときに売れ残ったものがあると、田舎まで持って帰るのは重たいものだから、知り合いの家に必ず寄っていく。よく私の家にも「ちょっと寄らせてもらいました」と訪ねてきた。母が「ご苦労さま」とお茶を一杯出してあげると、農家の人は「売れ残ってしまったので、安く置いていきます。持って帰っても仕方がありませんから」と言う。そうすると、私の母親は、何でも調子に乗る人の良いところがあったので、可哀想だと同情し、主人の田舎から来た遠い親戚だし、何よりこんなに安いのだからと、野菜をありったけ買ってあげていた。

小学生のころだが、それを見ていた私は子供心に「なかなか善いことをするな」と思っていた。ところが夕ご飯になったとき、無口で真面目な父は、台所に積まれた野菜をちらと見て「また無駄なものを買いよって」と怒る。母も負けていない、「あなたの遠い親戚の誰それさんの奥さんがわざわざ来られたんですよ。市内の八百屋さんなんかとはくらべものにならないほど安くしてもらったんです。あなたに怒られる筋合いなんかどこにもありません」と口答えする。私はだまってご飯を食べながら、口べたな父親がムッとして黙ってしまうのを横目で見て、「そりゃあ、母が言うのは正しいな」と思っていた。

ところがある夏の日、私が学校から帰ってくると、母が庭先を掘っている。だいぶ前に埋めていたサツマイモを掘り出しているのだが、かなりいたんでいる。お手伝いさんまで呼んで、大きなスコップを持ち出して掘り出しては、「あれあれ、もうこんなにいたんでしまって」などと言いながら、悪くなったところを包丁で削り落とす。そうすると大きなサツマイモが、見る見るうちに小さくなってしまう。

母はその小さくなった芋をそれでも機嫌よく大きな釜でどっさりゆがいて、竹のザルに山盛りにして、「お友だちを呼んでいらっしゃい」と言う。私はガキ大将だったから、近所の友だちをみんな呼んできて、食べきれないぐらいのサツマイモをみんなにごちそうする。友だちはおなか一杯になって喜んで帰るものだから、母は善いことをしたと思って喜んでいる。

私はそのときになって初めて、「ハハーン、親父が怒ったわけがわかった。いやこういう嫁さんなら所帯が潰れてしまうかもしれない」と思った。

このような子供のときの経験から私は、まとめて買えば安くあがったように思うけれども、実はそうではないということを学んだ。人間というのは面白いもので、「五升買えば安くします」と言われれば、ついつい買ってしまって余分に使ってみたり、乱暴に使ってこぼしてしまったりするものなのである。しかし今使う分しかなければ、それを大事に使うようになる。だから、今一升要るなら、一升しか買ってはならない。

このようにして「当座買い」の重要性を学んだ私は、京セラ創業後も経理部長に「一升買い論」としてよく説いていた。しかし、経理部長の方は「そんなことは経営学でも、経理の考え方でも常識に逆行することです。世界中のどんな経営学や会計学の本を見ても、安いものを買いなさいということはあっても、高いものを買いなさいなどということは言っていません」と言い張った。私は「そんな常識はどうでもよろしい。とにかく要る分だけを買いなさい」と言って頑張ったことを覚えている。

そうやって反発していた経理部長が、しぶしぶ言われた通りにやっているうちに、「なるほど」と気づき始めたという。使う分だけを当座買いするから、高く買ったように見えるが、社員はあるものを大切に使うようになる。余分にないから、倉庫も要らない。倉庫が要らないから、在庫管理も要らないし、在庫金利もかからない。これらのコストを通算すれば、その方がはるかに経済的である。セラミックのように腐らないものならまだしも、腐るものを扱う場合には、気がついてみたら使えなくなっていたということになりかねない。そのことがわかってきたのである。私は自分の母親の話をしたが、これと似たことは、どこの会社や家庭でもよく起こることではないだろうか。

経理部長も私に「社長のご両親の話を笑い話みたいに聞いていましたけれども、素朴な話の中に含まれる真理が、本当は大切なことであると気づきました」と言うようになった。

これを「当座買いの原則」、または「一升買いの原則」と京セラでは呼び、現在も経営の鉄則として受け継がれている。

第四章　完璧主義を貫く【完璧主義の原則】

この章で述べる完璧主義とは、曖昧さや妥協を許すことなく、あらゆる仕事を細部にわたって完璧に仕上げることをめざすものであり、経営においてとるべき基本的な態度である。

1　マクロとミクロ

リーダーたるものはつねにパーフェクトな決断を求められる。たとえば、登山隊のリーダーは、判断を一つ間違えると、パーティー全体が死に直面することになる。同様に、会社を経営する社長も、その判断が会社の運命を左右する。社長は従業員とその家族、顧客、株主、協力会社などに対し、重大な責任を負っているのである。

その重大な責務を果たすために、経営者たるものは会社全体のマクロな仕事と同時に、部下のやっているミクロの仕事も十分わかっていなければ、完璧な仕事はできない。部下が休んだときでも、自ら代わって仕事ができるくらいでなければ、本当の長たる資格はないとさえ言えるのである。

通常、創業者の社長は現場の細かいことから会社全体のことまでよくわかっている。ところが、創業者のあとを継いだ二代目の社長、専務といった後継者たちは、現場のことをあまり知らないケースが多い。お父さんから、いやお祖父さんから、長として全体をまとめていくマクロの帝王学は教わっていても、ミクロの現場のことはわかっていない。そのため経営者として、本当の意味で会社を動かせないのである。もし、企業のトップとして本当に自分の思う通りに経営をしていこうとするのなら、足繁く現場へ出て、現場の雰囲気、現場のことを知らなければならない。そこからでなければ帝王学も生きてはこない。マクロだけでなくミクロもわかっていなければ、経営者は自由自在に会社を経営することはできないのである。

2　一〇〇パーセント達成でなければ

私が専攻した化学の世界では、多くの薬品を配合して新しい化学物質をつくる。そのとき、薬品の配合をちょっと間違っただけでも、何日もかけて一生懸命やってきたことが全部ダメになってしまう。もし、一年間かかって研究してきたものであれば、その一年間の努力が一瞬にしてフイになるのである。

また、現代の製造業では、「不良がゼロ」というのが当たり前というほど品質に対する要求は厳しい。それはすべてのプロセスにおいて、完璧な仕事ができていない限り実現できない品質レベルである。このように、研究開発や製造では、わずかなミスさえ許されずつねに完璧な仕事が求められるのである。

ところが経理などの事務職では、間違えば「すいません。直します」ですんでしまう。私はよく経理部長に「事務屋はそれだからいかん」と言って怒った。ミスを犯しても消しゴムで直せると思っていては、完璧な仕事は決してできない。

少々の間違いぐらいは、仕方がないと思う人もいるかもしれない。しかし、投資計画にしろ、採算管理にしろ、基礎となる数字に少しでも誤りがあれば、結局経営判断を間違ってしまう。だから、研究開発や製造部門だけでなく、事務部門においても、真剣に経営をしようとすれば、ミスはまったく許されるべきではない。

完璧主義をまっとうとするのは難しいことだが、その完璧主義を守ろうとする姿勢があるから、ミスが起こりにくくなる。パーフェクトをめざしても、ミスがゼロになるわけではないかもしれない。しかし、だからといって九九パーセント正しければいいだろうということにはならない。九九パーセントでも結構だとなれば、今度は九〇パーセントでも仕方がないということになる。いや、八〇パーセントでもいいじゃないか、七〇パーセントでもいいじゃないかとなるだろう。そうすると会社の経営は甘くなっていき、どんどん社内の規律も緩んでいくであろう。

一〇〇パーセントは一〇〇パーセントなのである。私は売上や利益の計画に対しても「一〇〇パーセントには達しなかったが、九五パーセントは達成できたので今回は許してください」という考え方は認めていない。製造や営業の経営目標に対する実績についても、開発スケジュールや管理の仕事の正確さについても、完璧な実行を要求している。

3　厳しいチェックでパーフェクトをめざす

私は、よく経理に月次決算書の不明な箇所について説明を求めた。その際のことを当時の経理部長は「社長に資料を十分検討していないままに出した場合は、必ず厳しく内容をチェックされ、社長の質問にうろたえることがしばしばあった。厳しい追及に懲りて、次回は万全を期して、事前にさまざまな面からチェックして資料を提出したときには、簡単に説明を聞かれる程度で、かえって拍子抜けしてしまうことが多かった」と述べていた。

私の場合、真剣に資料を見つめていると、数字の間の矛盾やおかしな数字が、どういうわけか目に飛び込んでくる。精魂を込めて見ていると、パッと見ていても、間違っている数字や問題のある数字がまるで助けを求めるように目の前に飛び出してくるのである。反対に、事前に数字がすべて十分にチェックされた資料であれば、私がいくら見ていても気にかかる点は見出せない。

だから、上司が部下にあわててつくらせた資料を、中身もろくにチェックしないで内心ビクビクしながら持ってくると、案の定、私に見せただけで叱られ、逆に、自分で隅々まで目を通し、問題点を詰めて持ってくると、質問もなく「結構」と終わってしまうのだと思う。経営において責任ある立場の人々が自ら完璧主義を貫くよう肝に銘じていれば、資料の中のつじつまの合わない部分や数字のバランスが崩れているところに鋭敏に注意がいくようになるはずである。また、そうすることによって、資料をつくる側も自然に完璧主義が身につくようになる。会社全体に完璧主義を浸透させようとするのであれば、それが習い性となるまで数字をつくる側とチェックする側が努力していくことが必要不可欠なのである。

第五章　ダブルチェックによって会社と人を守る

【ダブルチェックの原則】

この章で述べる「ダブルチェック」とは、経理のみならず、あらゆる分野で、人と組織の健全性を守る「保護メカニズム」である。

仕事が、公明正大にガラス張りの中で進められるということは、その仕事に従事する人を、不測の事態から守ることになる。それは同時に、業務そのものの信頼性と、会社の組織の健全性を守ることにもなるのである。

このため「ダブルチェック」というメカニズムは、どんな事情があろうとも、ゆるがせにできない、徹底すべき原則である。

1　人に罪をつくらせない

私の経営哲学の根底にあるのは、「人の心をベースとして経営する」ということである。

京セラを創業したころ、私は経営するということの責任の重さに眠れぬ夜が続いた。経営について何も知らなかった私は「何を頼りに経営していけばよいのか、拠りどころとなるのはいったい何なのか」ということを真剣に考え続けた。悩み抜いた末に「人の心」をいちばん大切にすべきだということに思い至った。うつろいやすく不確かなのも人の心なら、これほど強く頼りになるものはないというのも人の心である。実際、京セラそのものが私を心から信頼してくださった方々のご支援と信頼し合った仲間によって誕生したのである。

このように人の心は大変大きな力も持っているが、ふとしたはずみで過ちを犯してしまうというような弱い面も持っている。人の心をベースにして経営していくなら、この人の心が持つ弱さから社員を守るという思いも必要である。これがダブルチェックシステムを始めた動機である。だから、これは人間不信や性悪説のようなものを背景としたものでは決してなく、底に流れているものは、むしろ人間に対する愛情であり、人に間違いを起こさせてはならないという信念である。

真面目な人でも魔が差してしまい、ちょっと借りてあとで返せばいいと思っているうちに、だんだんとそれが返せなくなってしまい、大きな罪をつくってしまう。これは、管理に油断があったためにつくらせてしまった罪でもある。よしんば出来心が起こったにしても、それができないような仕組みになっていれば、一人の人間を罪に追い込まなくてすむ。そのような保護システムは厳しければ厳しいほど、実は人間に対し親切なシステムなのである。

このように社員に罪をつくらせないためには、資材品の受取、製品の発送から売掛金の回収に至るまですべての管理システムに、論理の一貫性が貫かれていることが必要である。個々の管理者のご都合主義によって、そのシステムの一貫性がそこなわれるようでは、わずかな管理者の判断ミスが、やがて、大きな問題へと発展してしまう。さらに経営者が、会計、資材などの管理システムの運用に関して、時と場合に応じてつじつまの合わない判断をするようなことがあれば、自らの経営の一貫性を否定することになり、それは管理システム全体を崩壊させてしまうことにもなる。最近の各界での不祥事を見ても、経営者の自己本位な甘い判断が、会社を揺るがすような大問題へと発展していったことがわかる。このような点に関しても経営者はまず自らを厳しく律するようにしなくてはならない。

「ダブルチェックの原則」を間違いの発見やその防止のためのテクニックであると考える人もいるかもしれない。しかし、このような厳格なシステムが必要な本当の目的は、人を大切にする職場をつくるためなのである。複数の人間や部署がチェックし合い確認し合って仕事を進めていく。このような厳しいシステムが存在することによって、社員が罪をつくることを未然に防ぎながら、緊張感のあるきびきびとした職場の雰囲気が醸し出されるのである。

このようにして経営を管理するシステムを正しく十分に機能させるようになって初めて、さらに次元の高い愛や利他の心にもとづいた経営ができるようになるのである。

2　ダブルチェックシステムの具体的なあり方

先に述べた通りダブルチェックシステムとは、人に罪をつくらせないための原則であるが、その要点は具体的なチェックシステムの構築にある。そのため、創業以来、私は具体的な管理方法を一つ一つ確立してきた。いささか詳細であるが、具体例を挙げながら、ダブルチェックの管理方法を説明していきたい。

入出金の取扱い

入出金の管理においては、お金を出し入れする人と、入出金伝票を起こす人を必ず分けることが原則である。

小さい会社の場合、たとえば社長自らが出金伝票を切り、そして自分で現金を出すということが、日常的に行われている。これでは、悪意はなくともいくらでも勝手なことができるし、厳密な管理はできない。それを防ぐためには、伝票を起こす人と金を扱う人とを必ず分ける必要がある。

銀行に預金をするにしても、資材で買ったものの支払いをするにしても、労務費の支払いをするにしても、またその他の経費の支払いをするにしても、支払いをする者と、伝票を起こす者は必ず別にしなければならないのである。

支払担当者は、伝票が正しく発行されたものかをチェックして支払うが、支払うのはあくまで伝票にもとづいてであって、自分の意志や判断によるものではない。支払いが必要な者は、必ず記載内容を正確に記入し、必要な証拠書類を付して伝票を起こし、支払担当者に支払いを依頼しなければならない。

また入金の場合も、振込があったからといって、お金を扱う担当者が入金伝票を切って処理してはならない。その入金にかかわる担当者、担当部署に連絡し、入金内容を明確にした伝票を起票してもらい入金処理をするのである。

すなわち伝票を起こす人と金を扱う人は絶対に切り離すというのがダブルチェックの原則なのである。

現金の取扱い

小口現金を扱う場合は、毎日の締めにおいて現金の残高が伝票から作成した残高表と一致することは当然である。しかし、これは現金の出し入れの都度、現金の残高と帳面の残高が一致しているということの結果でなければならない。

すなわち、締めのときにつじつまを合わせるというのではなく、すべての時点において、現金の動きと伝票の動きが合致していなければならないのである。そのためには業務時間内に適切な頻度で、現金担当者以外のものが現金残高と伝票とをチェックするようにしなければならない。現金が動いている状態で確実なチェックが担当者以外の者によってなされていれば、万一問題が発生したとき、その原因を見つけ出すのが容易になるし、担当者を守ることにもなる。

会社印鑑の取扱い

私は会社を創業以来、研究、製造、そして、営業に飛びまわって、机に座っている時間すらほとんどなかった。そのため、会社代表印や銀行届出印についても、どうしても社員に任さなければならなかった。

そこで、そうしていても安心できるように、印鑑の管理について自分なりのシステムを考えた。印鑑箱は二重にして、外箱は手提げ金庫、内箱は小型の印鑑箱とする。そして内箱の鍵の管理者である捺印者と外箱の鍵の管理者とをかならず別の者にして、いわゆる相互にチェックできるようにしたのである。

もちろん内箱はその鍵を開け捺印するとき以外は、つねに外箱の中に収められていなければならない。内箱を取り出して持ち歩くことは禁じられている。内箱を閉める際には、あるべき印鑑がすべて収納されていることを別の者に確認してもらって施錠してもらう。当然ながら捺印のとき以外は、印鑑箱は内箱・外箱とも施錠されたうえで大きな耐火金庫の中に保管されている。この耐火金庫の開閉もまた別の者が行う。

このようにダブルチェックシステムの基本は、「一人ですべてができるようになっていてはならない」ということである。

金庫の管理

耐火金庫がたとえばシリンダー錠とダイヤル錠とを備えている場合、かならず両方を施錠し、印鑑箱と同じように別々の者が開錠するようにしなければならない。

金庫は業務時間内であっても、常時施錠し、朝晩の定期的な開錠を含め、必要があって開ける際には、必ず立会者を置いて複数の人間で金庫からの出し入れを行うようにするべきである。

耐火金庫、手提げ金庫も含め、金庫に保管すべきものはきちんと定められたもののみとし、特定された者以外の者が金庫を利用し、出し入れを行うことは禁ずるべきである。

購入手続

物品やサービスの購入についても、ダブルチェックシステムは不可欠である。要求元部門はかならず購買担当部門に対する購入依頼伝票を起こして、購買担当から発注をしてもらうというシステムにすべきである。要求元が業者に直接電話などで依頼したり、値段や納期の交渉をすることは禁じなくてはならない。

急ぐ場合もあるかもしれないが、会社の正規の購買システムで購入することは、ダブルチェックにもとづく管理システムを崩さないためにも必要なことであり、業者に対する確実な支払いを保証することにもなる。さらに、購買にともなう業者との癒着などの問題を未然に防ぐことにもなる。

売掛金、買掛金の管理

営業は通常の営業活動はもちろんのこと、売掛金の入金まできちんと責任を持つというのが原則である。売掛残高の管理は、別の営業管理という管理部門が行い、残高の明細を営業に報告して契約通りの入金をうながすとともに、滞留しているものについてその原因と対策を明確にし早急に解決するよう指示する。

ただし、集金に行く場合でも営業管理は直接に集金に行かず、各営業所の営業管理が発行した領収証を持って営業が客先に集金に行く。入金された手形、小切手は、すぐに本社経理に送られて、銀行で現金化する。客先から振り込まれた入金も同様に、本社経理にて集中管理される。

売掛金に対する責任は営業にあるが、各営業所の営業管理と本社経理が、それぞれ売掛金残高と入金を管理する。

同様に、買掛金についても、発注部門の検収にともなう買掛金の計上および買掛金残高の管理は購買部門が行い、買掛金の支払いは本社経理に集中させて管理させる。

このようにして売掛金、買掛金の管理においてもダブルチェックを徹底させなくてはならない。

作業屑の処分

商品の販売に関する管理には厳格であっても、たとえば工場における貴金属の作業屑などの処理については担当者や業者に任せきりになる場合が多く、業者の不正確な秤量が見過ごされたりすることもある。

しかし、屑処理といえども、何カ月分かたまれば、驚くような金額の屑代が発生することがある。数量を確認する際には、必ずダブルチェックをしなければならない。ここでも業者に接触する担当者に罪をつくらせないようなシステムが必要なのである。

自動販売機、公衆電話の現金回収

わずか十円の公衆電話だからと、その現金の回収にはとくに注意を払っていない場合がある。公衆電話や自動販売機のお金の管理は、総務の担当者一人に任せているケースもある。

一回に取り扱うお金は微々たるものかもしれないが、それもたまれば大きな金額になる。さらに何年もそのまま一人の担当者に任せておけば、それは大変な金額になっていく。このように些細に見えることであっても、お互いにチェックできるよう必ず二人で金額を確認すべきである。ダブルチェックの原則は、金額の大小にかかわらず必ず守らせる。これは経理の鉄則である。

以上は、一見当たり前のことであるが、当たり前のことを確実に守らせることこそが実際には難しく、それだけに大切にすべきことなのである。ただし、それは指示するだけでは徹底されない。トップ自らが、本当に守られているのかを現場に出向き、ときどきチェックしなくてはならないのである。繰り返し確認していくことによって初めて、制度は社内に定着していく。しかし、その根底には、社員に決して罪をつくらせないという思いやりが、経営者の心の中になくてはならないのである。

第六章　採算の向上を支える【採算向上の原則】

企業の会計にとって自社の採算向上を支えることは、もっとも重大な使命である。採算を向上させていくためには、売上を増やしていくことはもちろんであるが、それと同時に製品やサービスの付加価値を高めていかなければならない。付加価値を向上させるということは、市場において価値の高いものをより少ない資源でつくり出すということである。また、それは、事業活動により従業員の生活を向上させていくと同時に社会の発展に貢献するための前提条件となるものでもある。

一般的には、「採算の向上」というものは、経営を管理するための「管理会計」の役割であり、企業の業績と財務状態を正しく外部に報告するための「財務会計」とは性格を異にしている。しかし、「管理会計」も「財務会計」も経営者にとっては等しく経営に必要な会計なのであり、経営者は管理会計が財務会計の決算にどう関連しているのかを正確に把握していなければならない。

京セラでは、本書で述べている「会計学」と「アメーバ経営」と呼ばれている小集団独立採算制度による経営管理システムが両輪として、経営管理の根幹をなしている。それは京セラの経営哲学という基盤のうえに、会計学とアメーバ経営という二本の柱によって支えられている家にも例えられる。もちろん、この二本の柱のうち一本が欠けても家は支えられないように、お互いが相手を補完する関係にある。

私は京セラが急速に成長していくにつれて大きくなっていく組織を事業展開に合わせて小さく分割し、各組織が一つの経営主体のように自らの意志により事業展開ができるようにした。これがアメーバ経営と呼ばれているものである。各アメーバはそれぞれがプロフィットセンターとして運営され、あたかも一つの中小企業であるかのように活発に活動する。そのリーダーには、上司の承認は必要だが、経営計画、実績管理、労務管理などの経営全般が任されている。アメーバ経営とは、社員一人一人が自分のアメーバの目標を十分に把握し、それぞれの持場・立場でその目標を達成するために懸命な努力を重ね、その中で自己実現ができることをめざした、全員参加の経営システムなのである。

京セラのアメーバ経営をすべて語ろうとすると、さらに本一冊は要することになる。それほど内容が豊富であるため、本書ではアメーバ経営の中で会計学に密接に関連している部分、つまり、採算を向上させるため非常に重要な役割を果たしている管理会計システム、「時間当り採算制度」についてのみ述べたい。

1　時間当り採算制度とは

社会の経済的発展をもたらすものは、人間が仕事などを通して創造する新しい経済的価値である。この発展の源となる「価値」をより多く生み出すには、できるだけ少ない経費でできるだけ大きな経済的価値を創出する必要がある。企業経営にとって、このことは最小の費用で最大の売上を得ることを意味する。

消費する資源を少なくすること、これはとりもなおさず、倹約精神に徹することである。お客さまが必要とする製品やサービスを提供するために費やすあらゆる支出に一切の無駄があってはならない。製品をつくるために使う原料、消耗品、燃料や電力、また設備機械やさまざまな管理費用、さらには物流コストを含む販売費用に至るまですべての項目で可能な限り節減をしなければならない。これは経営の基本でもあるが、それと同時に、大切な資源を節約することにもつながる。

ところで、売上を増やそうとすると通常それに比例して経費も増えてしまいがちだが、私はそうではなく売上はあらゆる智恵と工夫を使って増やす一方、経費はつねに徹底して切り詰めるようにすることが経営の原則であると考えてきた。

時間当り採算とは、この「売上を最大に、経費を最小に」という経営の原則を実現していくために、売上から経費を差し引いた「差引売上」という概念を考えたことから始まった。この差引売上は、一般的な経済用語で言う「付加価値」と呼ばれるものに近い。企業が発展していくためには「付加価値」を生み出し、高めていかなければならないのである。

そこで私は、われわれが日常働く中で生み出しているこの付加価値をできるだけわかりやすく表現するために、単位時間当りの付加価値を計算して「時間当り」と呼び、付加価値生産性を高めていくための指標とした。そして、「時間当り採算表」を管理部門に毎月作成してもらい、現場で作業している従業員にも採算が簡単に理解できるようにしたのである。

表では、この時間当り採算の計算方法をわかりやすく説明するために、製造部門アメーバの「時間当り採算表」の雛型を示している。表は、左から項目、計算式、金額の順で表示されている。項目は、まずアメーバの収益を示す生産高の数字から始まっている。最初は「総出荷」(グロス生産高を示す)が示されているが、これはそのア

製造部門アメーバ　時間当り採算表（例）

項　　目		計算式	金額
総出荷（グロス生産高）	（千円）	A（＝B＋C）	60,000
社外出荷	（〃）	B	35,000
社内売	（〃）	C	25,000
社内買	（〃）	D	10,000
総生産（ネット生産高）	（〃）	E（＝A－D）	50,000
控除額	（〃）	F	30,000
（内訳）原材料費	（〃）		10,000
外注加工費	（〃）		5,000
⋮	（〃）		⋮
⋮	（〃）		⋮
⋮	（〃）		⋮
⋮	（〃）		⋮
差引売上（付加価値）	（〃）	G（＝E－F）	20,000
総時間	（時間）	H	4,000
時間当り	（円／H）	I（＝G／H）	5,000

メーバが客先に対して直接出荷する製品の生産高である「社外出荷」に、社内の他のアメーバに提供したモノやサービスの生産高である「社内売」を加えたものである。しかし、これはまだアメーバの収益の中心となるコンセプトではない。この「総出荷」から、他のアメーバから購入した「社内買」を差し引いたあとの「総生産」（ネット生産高を示す）こそが、製造アメーバの収益を示す指標である。この「総生産」が、アメーバの生産実績とされ、アメーバ経営における重要な指標となる。

一般の管理会計システムにおいては、ある採算単位の部門が社内の他の部門から購入した製品やサービスは、社外から購入したモノと同様に、コストとして扱われ、原価または社内価格によって計上される。しかし「時間当り採算制度」においては、社内における各アメーバ間でのモノやサービスの取引はあくまで、社外に対するものと同等の取引として扱われ、その取引価格は双方が交渉のうえで納得した「マーケットプライス」でなければならないことになっている。すなわち売る側と買う側のアメーバの間で市場取引と同様の価格交渉が行われ、購入先についても原則として選択の自由を持っているのである。

この「マーケットプライス」による社内売買が、売る側のアメーバにとっては生産高にプラスとして加わり、買う側においては生産高のマイナスとなる。したがって、各アメーバの「総生産」を全社合計すれば、そのまま会社全体が客先に対して出荷する生産高となる。

このため、あるアメーバの正味の生産高である「総生産」が、全社の生産高に対してどれだけ貢献したかもすぐわかるようになっている。この結果、社内向けの生産しかしていないアメーバでも、その「総生産」は会社全体の生産高に貢献していることが明確に認識でき、会社としての一体感も高めることができるのである。

このように「時間当り採算」は、「アメーバ」が独立した一つの経営責任単位であると同時に、決して単独で経営できるものではなく、他のアメーバと結びつき合って初めて経営できるということ、つまり、会社の不可分の一部をなしているということを示しているのである。誰もがより大きな全体の中で支え合い共存共栄しているという考え方がアメーバ経営の根底には存在する。

アメーバ経営の目的は、アメーバ同士をはげしく競争させ合うことにあると理解されやすいが、これは誤解である。アメーバ経営とは、限られたパイの奪い合いではなく、アメーバ同士がともに助け合い、また切磋琢磨し合う結果としてともに発展していくこと、そして、アメーバ間の取引が市場ルールでなされることにより、社内の取引に対しても「生きた市場」の緊張感やダイナミズムを持ち込むということを目的としているのである。

2　付加価値を追求するアメーバ経営

大企業の製造部門では、一般的に過去のデータなどをもとにあらかじめ標準原価を計算しておき、実際の原価と比較することで原価管理を行う「標準原価計算」が管理会計の常識となっている。それによれば、設定された目標すなわち標準原価によって原価管理が行われるので、製造部門はこの標準原価を達成するために最大の努力を払うことになる。また、この標準原価の目標は、各部門がより高い目標に挑戦するために自ら設定するのではなく、通常、原価管理部門や上部のマネジメントが過去の実績より少し高目に設定している。

他方、アメーバ経営においては、独立した経営組織であるアメーバが自ら設定する主要な目標は、そのアメーバの生産高と付加価値であって原価ではない。これはアメーバが独立した経営単位である以上、当然のことであろう。つまり、アメーバ経営では、与えられた標準原価より実際に原価を少しでも低くするという原価管理のみを行うのではなく、一つの経営主体として、まず受注をできるだけ多く獲得し、その受注にもとづく生産を最小の経費で実現できるよう計画し、実行するのである。最小の経費で最大の価値をつくり出し、結果として「付加価値」を最大にする。この活動を通じてアメーバは、つねに挑戦を続ける創造的な集団となる。

アメーバ経営においては、主役は最小の経費で最大の売上をもたらすよう智恵を絞る「人」の集団であり、焦点があてられるのはそのアメーバが全体として生み出す付加価値なのである。一方、標準原価計算による原価管理システムにおいては、主役は製品という「モノ」であり、焦点があてられるのは個々の製品の工程別の原価である。

アメーバ経営において、原価計算による原価管理を行わないもうひとつの理由は、製品が完璧でなくては市場価値はないと考えているからである。アメーバ経営ではアメーバは製品を完璧につくり上げ、客先に出荷できる状態にして初めて、生産実績が与えられる。つまり、仕掛品は期末を除き評価の対象としていないのである。ところが、通常の会計上は製造途中の仕掛品も完成品と同じようにその原価で評価される。しかし、原価計算で出てくる仕掛品や完成品の価値とは、それをつくるために費やされた費用の総計にすぎず、それを購入して使う客先にとっての価値ではない。

このような原価計算の考え方は、客先から対価を得られる完璧な製品にしか価値を認めないというアメーバ経営の考え方とは基本的に相容れないものである。だから、時間当り採算制度においては、支出した製造費用から原価計算によって評価される仕掛品価値を差し引いて製造原価を計算するようなことはしない。ユーザーである顧客から見れば未完成な製品など何の価値も持たないはずだからである。

以上述べてきたように、管理会計である時間当り採算制度においては、複雑な原価計算システムは用いておらず、アメーバ全員が経営状態をリアルタイムで理解でき、即時に主体的な手を打つために必要な指標だけが重視されているのである。

もちろん仕掛品を評価しないという方法は、対外的な決算報告に用いることはできない。決算報告を行う他のすべての企業が、仕掛品の期末残高を報告しているのだから、決算報告は同じベースで計算しないとフェアではない。企業として社会的な会計制度と整合性を保った決算報告書を作成するのは当然の義務である。

3　時間当り採算と会計との関連

時間当り採算においては、アメーバの構成メンバー全員が、自らのアメーバの経営状況をリアルタイムに、手に取るように理解できることが、いちばん重要である。そのために、日々の経理処理は「正確、明解、迅速」でなければならない。発生したものは、ただちにそのアメーバの収益または費用として認識されるようにしなければならない。これは「一対一の対応」という原則の実践でもある。

生産実績、出荷実績については、当然ながらアメーバはその個々の内容と実績総計を日々把握しており、それは翌朝の売上生産日報により検証される。また、資材経費や支払経費もつねにアメーバによって把握されており、翌朝配布される経費日報等の電算資料によって検証される。

この結果、各アメーバは経営の実態をとりまとめられた数字による全体的な姿、つまりマクロで把握するのと同時に、その数字を構成する一つ一つのものを具体的に、すなわちミクロで理解することもできるのである。

また、アメーバ経営においては、そのアメーバがすべての収益および費用を自らの責任のもとで管理できるようにしている。たとえばあるアメーバで発生した貴金属の屑の売却は、当然そのアメーバの収益として扱われる。会計上は経常利益には含まれず特別利益となる機械設備の売却処分益も、それを処分したアメーバの収益となる。同様に特別損失となる機械設備の廃棄処分損失もそのアメーバの負担となる。このようにあらゆる収益費用は、いずれかの部門の責任において発生しているはずなので、発生したときにどの部門のものかが明確になるようなシステムを構築しているのである。

この意味で発生した費用をどの部門が負担するのかでアメーバ間に問題が起きたり、アメーバに知らなかった費用が突然振り替えられてくる、ということがあってはならない。それでは「アメーバ自らが責任を持って経営をする」というアメーバ経営の原則に反することにもなる。そのために経理がたんに「会計的な判断」だけで勝手に負担部門や勘定科目を決めるのではなく、アメーバの責任者がルールに従い自らの判断で経費を管理できるシステムとしているのである。

このようにアメーバ経営では基本的に各アメーバが直接管理ができ、責任を持てる費用がアメーバ採算に反映されるようになっている。たとえば、工場等でアメーバ経営をサポートする際に必ず発生する間接費、具体的にはアメーバに対してサービスを直接提供する工場や事業所の総務、人事、資材、経理などの間接部門の費用も、「共通費用」としてアメーバが納得できる方法で負担するようになっている。この結果、間接部門のメンバーは自分たちがアメーバの収益によって支えられていることがよくわかり、できるだけ経費を切り詰め、より効果的、効率的にアメーバに対するサービスを提供しようと努めるのである。

他方で、本社の総務、人事、資材、経理などの管理部門の経費はアメーバに負担させることはしない。本社管理部門は、その業務上の管轄下にある工場・事業所の間接部門を通して各アメーバにサービスを提供するが、工場や事業所のアメーバと日常的な接触を持たない。このようにアメーバが直接に影響をおよぼすことができない本社経費はアメーバに負担させないようにしている。一般に事業部門を独立採算にして損益計算書を作成する場合には、本社経費を事業部門に「一般管理費」として負担させることが多い。しかし、時間当り採算制度においては、アメーバの経営主体としての立場をできるだけ尊重するためそのような会計上の常識にはとらわれず、直接アメーバと関係のない本社経費はアメーバの負担とはしていないのである。

なお、本社管理部門において実際に発生した費用は、全社の月次の会議において、各部門から予定と対比して報告され、各々の部門で厳しく管理されるが、その費用は本社部門という項目で計上されている。現在京セラではこのような本社管理部門の経費や、全社的な戦略的費用などは、本社部門の収入となる資金運用収益などによってまかなわれている。

アメーバ経営における費用の負担は、以上述べてきたように非常に厳密に取り扱われている。どこかで「どんぶり勘定」となり、まとめて費用を負担したりするようなことは決してない。実際、京セラ内では各部門で毎日あらゆる費用が厳しくチェックされ、それがどのように少額なものであったとしても、自部門で負担すべきではないものについては、その費用を実際に負担または分担すべき部門に対して「経費移動」と呼ばれる費用の付け替えを行うようにしている。この「経費移動」は同一工場内のみならず全社をまたがって行われるので事務処理は増えるが、あらゆる処理を公正、公平に行うことによってのみ、アメーバのモラルや活力は維持されるのであり、その意味で不可避なものなのである。

「管理会計」による報告と、対外的な決算報告である「財務会計」の報告とは、一般には異なった性格を持ち、相互に独立したものだと考えられている。しかし、双方とも経営の実態を正確に認識するためのものである以上、両者の報告内容の間には整合性がなければならない。実際、京セラにおいても、「管理会計」報告である「時間当り採算」と社外に公表する「決算」との間には明瞭な整合性が保たれている。そのために、各アメーバは、自分たちの実績が会社全体の業績に直接に結びついているという認識を持つことができている。こうして毎年、年頭の社長による「経営方針」の中では、「決算ベース」の会社全体の業績目標が、各々の事業部の「時間当り採算ベース」の業績目標と密接に結びつけられ発表されている。

4　管理会計報告としての時間当り採算制度

アメーバ経営は、私の経営哲学を具体化したものであり、管理会計報告としての時間当り採算は、私の経営哲学に根ざした会計学の原則がベースとなっている。このため時間当り採算制度では、会社の決算書とは異なり、モノとお金の動きとの「一対一の対応」によって積み上げられた数字を、そのまとりまとめたきわめて単純な様式を採用している。各アメーバにとって時間当り採算は、自分たちの仕事の結果がそのまま数字となってまとまったものであり、その意味で自分たちがつくった採算となっている。

京セラにおいてこの時間当り採算と会社決算とを結びつける役割を果たしているのが、月次決算書である。月次決算では、時間当り採算の「時間当り付加価値」と、会社決算上の利益とを結びつけ、各事業部が決算上の利益において会社全体にどの程度貢献しているのかを具体的に示している。すなわちこの月次決算報告とは、各事業部ごとの時間当り採算実績を決算書のフォームで表現したものであり、毎月早々に全社の事業部に配布されている。

時間当り採算は経営管理と呼ばれる部門が作成しているが、月次決算報告は経理部門が作成し、時間当り採算にはあらわれない人件費を費用として計上して利益を計算している。また、この月次決算報告では事業本部ごとに製造アメーバの「生産ベース」の採算と、営業アメーバの「売上ベース」の採算とを一体化し、製品在庫分の生産利益を控除して、会社決算で用いる「売上ベース」の業績に変換している。

このような変更が一部あるものの基本的には、月次決算も各アメーバの動きを「一対一の対応」によって集約したデータベースにもとづいて作成されるものであり、時間当り採算と同じ事実を表現しているものである。そして決算期末には、この月次決算の累積に、主として仕掛品の「期末実地棚卸」による各棚卸資産の期末評価を中心とする「決算修正」を加えて、会社の決算書とするのである。

なお、製造事業部の時間当り採算報告において「総生産」に対応する利益指標としての「差引売上」からその事業部の人件費を引けば、月次決算上の「税引前利益」となる。この「税引前利益」は、時間当り採算と会社の決算を結びつけるキーとなる数字である。

アメーバ経営では、アメーバが自らの責任で作成する月次予定および年次マスタープランが重要な役割を果たしている。アメーバ経営の本質は、アメーバのメンバー全員が現在の自らの姿を文字通りリアルタイムで正確に把握し、目標を達成するために必要な行動を即座に次々ととっていけるということである。そのためにもアメーバはあらかじめ自ら立てた年次のマスタープランや月次の「採算予定」を自らの明確な目標として位置づけ、それに対し実績がどうなっているのかをつねに完全に認識できるようにしなくてはならない。このために、時間当り採算表は、当月の予定およびマスタープランと実績とが簡単に対比できるような様式になっているのである。

ところで私は経営において予定というものは、実績数字と同様に、いやそれ以上に重要なものであると考えている。「予定」つまり「目標」は経営者の意志の表現であり、自らの手で新たにつくり出そうとしていくものを描き出したものである。その意味で予定は決して変更されるようなものではなく、アメーバの仲間と一緒にどんなに環境が変化しようと最後までめざすべきものなのである。

以上のような仕組みと考え方により、京セラにおいて時間当り採算制度が運用されており大きな効果を上げている。

5　売価還元原価法による経営

企業会計の基本的ルールである「企業会計原則」では、製品や仕掛品の製造原価は適正な原価計算によって算定することになっている。したがって、社内に原価計算制度が確立していないと、会計監査上の重要な問題となる。とくに株式を公開する企業については、投資家を保護するために、その企業の持っている会計システムや管理システムが適正かどうかについて厳格なチェックがなされる。

このため京セラが株式を上場する際、一般的な原価計算を行っていないことが上場資格審査上問題になるのではないかという懸念があった。しかし、通常原価計算とされるものは非常に煩雑であり、原価計算の担当部署を特別に必要とするほど労力と時間がかかる。そして実際やってみると、その結果が実態を正確にあらわし、経営に役立つとは必ずしも言いがたい。

たとえば、通常よく使われる標準原価計算と呼ばれる方法では多岐にわたる製品を製造している場合、標準となる原価の設定だけにでも大変な作業が必要となり、さらに、つくったロットの大きさによっても原価が大きく変化してしまう。京セラの場合は、多品種少量生産を行っているので、もしこの方法を採用するとすべての品目ごとに原価計算を行うためには非常に膨大な作業が必要となるし、またわざわざ本格的な原価計算を導入しても実際的な価値や効果がなく、「時間当り採算制度」ともまったくなじまない。そのため京セラでは決算報告のためには、当社の考え方に合った「売価還元原価法」という方式を用いて期末の製品と仕掛品の棚卸資産評価をしていた。上場資格審査の際も、一般的な方法とは異なるがこの方が合理的だと考え、その旨を申し入れ、結果として審査をパスすることができた。

「売価還元原価法」というのは、製造にかかったコストを積み上げて原価を求めるのではなく、その製品にあてはまる原価率をあらかじめ計算し、それを個々の売値にかけて「売価を原価に還元する」という方式のことである。

私は「値決めは経営である」と考えている。そのため京セラにおいては個々の製品の売価はすべて多大な努力を注いで決められている。そして、その売値において客先の満足する完璧な製品を最小の経費でつくれるように努力工夫をしている。その結果として利益は生まれるのである。私はこれこそが経営の基本であり、その意味で、売値も原価も固定したものではありえないと考えている。

このような考えをベースにして経営しているため、標準原価計算によりすでに支出された過去の原価を積み上げて仕掛品や製品の評価をするのではなく、売値に着目して売価還元原価法にもとづき仕掛品や製品を評価することにしたのである。

6　アメーバ経営と売価還元原価法における原価の考え方

決算時の在庫評価を標準原価計算で行うと、経営の実態をあらわせないことがある。つまり、在庫品の中に原価がすでに売価よりも高くなっているもの、売ったら損をするというものも出てくるのである。

たとえば、一個三百円で問屋に卸していた売れ筋製品があり、この原価は二百五十円とする。ところが、追随してきた類似品が市場に出回ってくると、末端価格は急速に下がる。そうすると、次の新製品が導入できるまで、問屋のマージンは保証してでも市場のシェアを維持しようと、思い切って値下げし二百円で問屋に出すということも起こる。

この場合、期末時点で残った在庫は、決算上はもとの原価のまま二百五十円で計上され、そのベースで税金を払うのがふつうである。たたき売りの在庫処分を始めた場合でもない限り、税法上は在庫評価を原価より下げることが認められないからである。しかし、翌期にこの二百五十円と評価されていた在庫を二百円で売り出すと損失が出ることになる。このように在庫が正しく評価されないようでは、健全な経営とは言えない。

「アメーバ経営」では、原価がずっと同じことはありえないと考え、つねにあらゆる工夫をしてコストダウンをするようにしている。いくらマーケットにおける売価が下がろうとかならず採算を確保できるようにつねに経費を減らし、生産性を上げる工夫がうながされるようになっている。

自由な競争が行われる市場経済においては、マーケットにおける売値は当然つねに激しく変化する。そうであるなら、固定した価格や固定した原価を前提とする経営はありえない。売価還元原価法を用いているとマーケットの値段が日々変動しても、期を通じてその製品に関係するグループ全体が赤字でない限り、売値を上回る原価で在庫が計上されるようなことにはならない。

この意味で、売価還元原価法は製品の市場販売価格と実際の製造コストとの関係にもとづいたものであり、またつねに発生しうる価格の低落を在庫評価に自動的に織り込むことができるものである。どのような方式の原価計算をいかに正確にしても、過去の原価に固執して在庫評価をすることは、経営を見誤らせてしまう。そうであれば、市場の変動をもっとも敏感に反映する売価還元原価法は、経営者が正確な在庫評価をするために適した方法であると言える。

7　時間当り採算制度は魂を入れないと生きない

企業というものはつきつめて考えれば人間の集団でしかない。それをたんなる烏合の衆ではなくひとつの生命体としてまとまったものにするには、その集団のリーダー、つまり経営者が社員から信頼され尊敬されていなければならない。そうでなければ経営者が指し示す目標をどんな困難があろうと達成しようという社員がいるはずはないからである。このようにすべての社員から尊敬され「この人のためなら」と心から思われるような経営者となるためには、自らの人格を高める努力を続けていかなくてはならない。

また、そこまで人間ができていなくても、一緒に仕事をしていく社員に、経営者としての誠意は理解してもらわなければならない。そのためには、経営者自身が会社や社員のために誰にも負けない努力を重ねていくことがもっとも大切になる。

京セラ急成長の要因は、高度な技術力とアメーバ経営や会計学などの緻密な経営管理システムであると言われることがある。しかし、技術力にしても経営管理システムにしても、このような人の心をベースにした経営風土があって初めて機能するということを銘記する必要がある。どんなに素晴らしい技術を開発しても、どんな合理的な経営管理システムを駆使したとしても、会社や社員に魂を吹き込むのは、やはり経営者でなければならない。

したがって、時間当り採算システムを運用するにあたっても一番大切なことは、経営者が社員から信頼され尊敬されていることであり、そのような経営者が自ら現場に行き、現場で担当する人たちに直接仕事の意義や目標などを話していくことなのである。すなわち経営者自らが職場の会議やコンパを通じて社員と触れ合い、自分の思いを直接伝えていくことが必要なのである。

良い採算制度があるから採算が上がるのではなく、現場の人たちが採算を上げようと思うから上がるのである。そのためには経営者自身が、必要なエネルギーを現場の人たちに直接注ぐことが大切となる。私はそれを「魂を注入する」と呼んでいる。

そうして初めて、社員も心からやる気になってくれる。私は「なぜ京セラはそんなに利益が出るんですか」と訊かれたときに、「ウチの社員がよく頑張ってくれているからです」という言葉が、心から何のためらいもなく出る。経営者が魂を注入しなければ、どんなにすぐれた経営管理システムがあっても、社員を動かし、会社を向上させていくことはできない。

第七章　透明な経営を行う【ガラス張り経営の原則】

私は京セラを創業以来、心をベースにした経営、つまり社員との信頼関係にもとづいた経営を心掛けてきた。中小企業であった京セラが厳しい競争に打ち勝っていくためには経営者と社員が固い絆で結ばれ、団結していることが不可欠だったのである。そのような信頼関係を構築するためには、会社の置かれている状況を包み隠さず社員に伝える必要がある。そう考え、私はガラス張りの経営を行い、全社員が京セラの経営状況がわかるようにしてきた。また京セラが株式を上場してからは、一般投資家からの信頼を得ることが大切だと考え、ディスクロージャーを徹底してきた。私は企業経営は公明正大に行うことがもっとも重要であると考えているが、それが保証されるために経営を衆人環視の下に置くことにしたのである。

ここでは、この「透明な経営」を支える経理のあり方について述べたい。

1　公明正大な経理

経営を実態より良く見せようとするような会計処理を決してしてはならないことを、さきに「筋肉質の経営」というテーマのもとに述べた。日本の企業会計の基本ルールである「企業会計原則」の中に、「真実性の原則」というものが謳われているが、真実をありのままにあらわすことが会計のあるべき姿である。このためには、まず「お金を扱い、会計処理を行う経理部門自らが徹底して清廉潔白であり、かつフェアであることが、もっとも重要である」という考え方を浸透させなくてはならない。

それゆえに経理部門のメンバーは全員、つねに正々堂々とフェアな態度で筋を通すようにすべきなのである。また経理部門内に卑怯な考え方やふるまいが決して認められないような雰囲気をつくり、社内でも一目置かれる存在となるようになるべきなのである。

しかしながら、経理部門が会社のあらゆる会計処理や決算報告を正確に行い、かつ保守的な会計処理がとられるよう最大限努力したとしても、透明な経営ができるかどうかは、最終的にはトップの持つ経営哲学いかんにかかってくる。

2　社内に対するコミュニケーション

まず大事なことは、経営は幹部から一般の社員に対してまで「透明」なものでなければならないということである。つまり、経営トップだけが自社の現状が手にとるようにわかるようなものではなく、社員も自社の状況やトップが何をしているのかもよく見えるようなガラス張りのものにすべきなのである。

会社は、決して経営者の私的な利益を追求する道具ではない。会社の使命は、そこに働く従業員一人一人に物心両面の幸福をもたらすと同時に、人類、社会の発展に貢献することである。当然、経営者は率先垂範して、この会社経営の目的を達成するために最大限の努力をしなくてはならない。透明な経営を実践すれば、この使命達成のためにトップが先頭に立って奮闘していることが、社員の目からも一目瞭然になってくる。

また、逆に万が一、経営トップが会社のお金を少しでも私的なものに流用したり、また、接待だからといってゴルフや飲食に多額のお金を使っていれば、やがてはすべて社員の知るところとなる。それでは、社員から信頼されるどころか、社員の離反を生み出すだけである。透明な経営を行うためには、まず、経営者自身が、自らを厳しく律し、誰から見てもフェアな行動をとっていなければならない。

次に重要なことは、トップが何を考え、何をめざしているかを正確に社員に伝えることである。たとえば、京セラの経営方針は、大きな労力を費やして社員一人一人に伝達される。年初には社長より経営方針が発表され、本社所在地域にいる中堅以上の幹部社員に対して直接発表されるが、それは同時に各地の工場には衛星中継されている。社長の経営方針を聞いた幹部は、職場でその内容を部下たちに伝える。その後、職場の全員が交代でビデオに録画された社長の話を聞く。このようにして全社員が経営方針の中で説明される、会社およびグループ会社全体の経営方針とともに、具体的な経営目標、およびそのための具体的施策を正しく理解できるようになっている。会社が何をめざしており、また現在どのような状態にあり、したがって何をしていかなければならないのか、社長の考えが社員全員にわけへだてなく伝えられ、それが各部門の目標として展開されていくのである。

また、このほかに京セラでは年に二回、世界各地から京セラグループの経営幹部が集まり、一堂に会して国際経営会議が開催される。世界各地域、各分野から計画と実績、今後の方針の発表があり、議論される。幹部全員が集まって全部門、全グループ会社の発表に耳を傾け、京セラグループ全体の状況を理解し、自らのやるべきことをグループ全体の動きの中に位置づける。このようにグループ全体にわたる詳しい報告がトップのみに伝えられるのではなく、わけへだてなく二百名にのぼる出席者全員に共有されるのである。

さらに京セラ社内において月初に前月の各部門の詳細な実績が朝礼で発表される。アメーバのメンバーは自分たちの予定や実績は当然よく知っているが、月初の朝礼でその工場や事業所さらには会社の各部門の詳しい状況を数字で明確に知ることができる。このように京セラではできるだけ多くの経営情報を、できるだけ多くの社員と共有できるよう努めている。

社員が会社全体の状況やめざしている方向と目標、また遭遇している困難な状況や経営上の課題について知らされていることは、社内のモラルを高めるためにも、また社員のベクトル（進むべき方向）を合わせていくためにも不可欠なことである。社員の力が集積されたものが会社の力なのであり、社員の力が結集できなければ、目標を達成することも、困難を乗り切っていくこともできない。そのためには、トップに対してだけでなく社員に対しても経営を限りなく透明にすることが最低限の条件となる。

3　フェアなディスクロージャー

私は企業、とくに上場している企業は、すでに社会的存在となっているので、できるだけ企業情報は開示すべきだと考えている。たとえば、京セラは一九七六年に米国でADRという株式の一種を発行して以来、米国企業と同様なディスクロージャー（情報開示）を行うという方針をとってきた。

当時、米国ではセグメント別の業績開示が会計基準に含められていたのだが、ADRを発行している日本企業の多くはそれについて長い間消極的な姿勢をとり続けた。しかし、京セラは米国の証券市場における株式公開企業である以上、ごく当然のことであると考え、当初から米国企業と同様に業種別および事業地域別の二分野におけるセグメント情報を開示するようにしてきた。

今でこそセグメント情報は日本においても制度化されているが、京セラはこのように二十年ほど前からセグメント情報の完全な開示を行っており、米国公認会計士より「無条件で適正」との評価を得ている連結財務諸表を公表する、数少ない日本企業となっている。

その後、今日注目を浴びている退職年金の会計をめぐっても、同じようなことが起こっている。米国での年金会計の方法と開示内容が大きく改められた際に、ＡＤＲを発行している多くの日本企業は日本の厚生年金制度が米国の会計基準の想定する年金制度とは異なったものであることを理由にして、「米国流」の年金会計の適用について消極的な態度をとった。しかしながら、京セラは米国におけるフェアなディスクロージャーの観点から、躊躇なく米国企業と同一の会計方法と開示内容による年金会計を適用したのである。この結果、年金会計について京セラは、今日でも米国企業と同一内容の開示を行っているきわめて数少ない日本企業となっている。

経営者は定められた決算資料においてできるだけフェアな情報開示を行うというだけでなく、日常活動として、投資家に対するＩＲ（インベスターズ・リレーションズ）活動も重視する必要がある。大規模な機関投資家はもちろん、会社の将来と株式価値の動向に利害や関心を持つすべての人々に、トップマネジメントの観点から企業の理念と経営状況および今後の展望を正しく知ってもらわなくてはならないからである。

自社が、投資家にとって健全な財務体質を持ち、かつ大切なお金を安心して投資できる将来性のある企業であることをアピールし、自社の価値を正確に理解してもらう、その結果として自社の評価、さらには株価を高める。それは自社だけでなく、多くの投資家にも多大なメリットをもたらすことになる。そのように考えるなら、投資していただいたお金が経営の中でどのように生かされ、また将来に向けていかに有効に活用されるかを正確に投資家に伝えるＩＲ活動は、企業経営にとりきわめて重要なものになる。

バブル経済崩壊後、日本の証券市場は低迷を続けているが、それを活性化させるには、証券市場をより公正で透明なものにする必要があるが、それと同時に企業自身が公明正大で透明な経営を行い、フェアで活発な投資家とのコミュニケーションを行っていくことが不可欠なのである。

ディスクロージャーとは、要するに真実をありのままに伝えるという、当たり前のことである。たとえ「良くない事態」が起きたとしても、勇気を持って社外に対し、ただちに明らかにすることによって、逆に会社に対する信頼は高まっていく。困難に遭遇したときは真正面から立ち向かい、打開策を確実に実行していることを、正直に投資家に対して訴えればよいのである。このように自社のありのままの姿をつつみ隠さずオープンにするためには利益よりも公正さを優先するという確固たる経営哲学が不可欠となる。

4 経営のモラルと会計のあり方

私の会計学は「儲かったお金はどうなっているのか」ということから始まった。「決算の結果、今月いくら利益が出たと経理は報告してきたが、そのお金はいったいどこにあるのだろうか?」ということが、これまで述べてきた経営のための会計学の出発点なのである。この利益というものも、私の会計学の基本原則である「一対一の対応」が守られていないと、架空のものになってしまいかねない。

すでに述べたように、一つ一つのモノの動きと伝票処理とが明確な対応を保ってこそ、最終的にまとめられた数字が真実をあらわすようになる。どのような洗練された会計処理がなされたものであっても、この「一対一対応の原則」にもとづかない経理処理が少しでもあると、それは会社の実態を正しく反映することはできない。

京セラは、「一対一の対応」を経理での会計伝票はむろんのこと、受注・発注のサイクルを含めて、あらゆる伝票処理の原則として適用してきた。そのため企業の規模が急速に拡大しても、幸いにして管理上大過なく今日に至っている。

しかし、率直に言ってこれだけ注意を払い、万全と思える管理システムを構築してもまったく不正が起こらなかったわけではない。それでは必ずしも堅実な管理ができていない企業はどうなっているのであろうか。私は近年多発する企業不祥事を見るにつけ心配している。

そのような企業では、もしかすると不正処理が行われても問題とはされず、そのまま見過ごされていることが多いのではないだろうか。みんなが大なり小なり何らかの問題を持っているため、不正や疑惑の存在に気づいても互いにあえて問題にせず、見過ごしているのではないだろうか。さらに上司の方がより大きな問題を抱えているために、何か不正が見つかっても、あえて隠蔽したままのケースもあるのではないだろうか。

社員の行動にどこかおかしな様子がある場合、不正に対し厳しい社風があり、周囲の者が清廉潔白であれば、すぐに目立つようになり、必要な処理がなされるであろう。しかし、おかしいと思われることを指摘することが「裏切り」であるかのように思わせる雰囲気が社内にあれば、問題は隠蔽されてしまう。このようにして社内に少しぐらいの不正には目をつぶろうという雰囲気が生まれると、やがて組織全体が膿んでいき、いつか必ず会社の屋台骨を揺るがすほどの問題になっていく。

だからこそ、不正をなくすためにはまず経営者自身が自らを律する厳しい経営哲学を持ち、それを社員と共有できるようにしなくてはならない。そして、公正さや正義と言われるものがもっとも尊重されるような社風をつくり上げ、そのうえでこの一対一の対応のようなシンプルな原則が確実に守られるような会計システムを構築するようにしなくてはならない。そうすれば企業の不祥事の大半は必ず防げるはずである。

5 公正さを保証するための一対一対応の原則

このように企業経営を公明正大に行うために具体的に必要なことは、決して高度なものでも複雑なものでもない。不正の温床となりやすい経理処理をはじめとし、あらゆる取引を「一対一の対応」によってきっちり処理する習慣をつければいいのである。

なぜなら、「一対一の対応」による管理を確立すれば、曖昧な処理、不正な処理はすべて排除され、すべての取引がクリアになるからである。このように「一対一の対応」は、大変初歩的な手続と思えるが、情報処理や会計処理を正しく行うためのもっとも基本的な不可欠なものなのである。

この「一対一対応の原則」は、一つ一つの現象と人間の認識は文字通り「一対一」

で対応すべきであり、その間には決して曖昧なもの、異物は介在できないという真理にもとづいている。だから、ありのままの現実から逃避をしたり、現実を粉飾してごまかしたりすることは、その真理に反することになる。そして真理に反する行為は必ず破綻を招く。

すべての経営者が人間として普遍的に正しいことを追究するという経営哲学を持ち、「一対一の対応」のようなベーシックな会計の原則を確実に実行することにより、企業経営から不正を排除することができると私は考えている。

6　資本主義経済における会計の役割

現在、日本の企業社会の中では、これまで表面化しなかった腐敗が露呈し始めている。新聞紙上等ではこれまでは社会的な信用も高かった日本の証券、銀行などの金融機関や中央官庁での不正問題が連日のように報道されている。しかし、これらは氷山の一角でしかなく、日本社会全体が腐敗しているのではないだろうか。つまり、誰もが何が正しく何が悪いのかを考えることなく、たんに自らの利益を追求し続けた結果、日本全体がきわめてモラルの希薄な社会になってしまい、社会全体が病んでしまっているのではないだろうか。

そのような社会を立て直していくためには、まず社会的リーダーたる人々が人間として正しい確固たる哲学を持ち、それをベースに政治や行政や経営を実践していく必要がある。

そもそも資本主義社会は、利益を得るためなら何をしてもいい社会ではない。参加者全員が社会的正義を必ず守るという前提に築かれた社会なのであり、厳しいモラルがあってこそ初めて、正常に機能するシステムなのである。つまり、社会正義が尊重され透明性の高い社会が築かれてこそ、市場経済は社会の発展に貢献できるようになる。そのためには、まず資本主義経済を支えている経営者が高い倫理観を持ち、すべての企業がフェアで公明正大な経営を実践していく必要がある。

ところが残念なことに人間はつねに完全ではない。いくら立派なことを言っていても、誘惑にかられ、魔が差してしまうかもしれない。不正を犯してしまうかもしれないのである。このことは不祥事を起こした人々を調べればよくわかる。誰も最初から不正や犯罪を犯そうと思っていたわけではない。

この意味で私は会計の果たす役割はきわめて大きいと考えている。なぜなら会計において万全を期した管理システムが構築されていれば、人をして不正を起こさせないからである。また、万が一不正が発生しても、それを最小限のレベルにとどめることができるからである。

しかし、そのための管理システムは、決して複雑で最先端のものである必要はない。人間として普遍的に正しいことを追究するという経営哲学がベースにあれば、それは「一対一の対応」、「ガラス張りの経営」、「ダブルチェック」などの原則にもとづくきわめてシンプルでプリミティブなシステムで十分なのである。

このような会計の考え方やシステムは、不正を防ぐというだけでなく企業の健全な発展のために不可欠なものであり、逆にこのような会計システムがなければ、いくら立派な技術力があろうと、また十分な資金があろうと、企業を永続的に成長させていくことはできない。

京セラが順調に発展することができたのも、確固たる経営哲学とそれに完全に合致する会計システムを構築することができたからだと考えている。

第二部

経営のための会計学の実践

盛和塾での経営問答から

これまで述べてきた会計原則は、実際の経営の中で生かされて、初めて本当の価値が出てくる。しかし、これから、経営や会計・経理の分野を歩まれる読者の中には、具体的なケースの中でこれらの原則がどう適用されるかを知りたいと思われる方もおられるであろう。

そこで第二部では、中堅企業の若手経営者を主たる対象として私が主宰する勉強会、「盛和塾」における経営問答を、これまで述べた会計学の実践的なケースとして紹介したい。

盛和塾では、塾生が日頃抱いている経営の諸問題について、私に率直に質問し、それに私が答える形式で真剣な議論を繰り返している。これらの生きた事例が、会計学の原則を理解するために役立つことを期待して、ここに五つの経営問答を紹介する。なお、それぞれの問答は、もともと非常に具体的なものであるが、その内容や数字について一部修正を加え、再構成していることをご理解いただきたい。

【経営問答1】先行投資の考え方について

〔質問〕

当社はある自動車メーカーの正規ディーラーとして営業しております。バブル崩壊後何年かを経て、ここ数年はようやく売上も利益も比較的順調に推移するようになっています。最近、メーカー側は積極策に転じ、環境と安全に対する先進的な取り組みを強く打ち出して、四年で販売台数を倍増する計画を発表しました。ディーラーに対しても営業陣の倍増、拠点増加などの先行投資を強く求めています。

現在当社は、三つの店舗を構えており、従業員は五十名おります。そのうちセールスは十五名で、年間四百五十台のペースで販売しています。セールス一人当り年平均三十台、月平均二・五台の販売となります。

従来は借入が年商金額の三分の一程度で推移していましたが、今般サービス工場の施設整備を行い、またメーカーからの在庫保有の要請があったため、資金を追加で借り入れております。今後の販売増に対応するために下取価格を高くできるように直営の中古車センターを併設する計画を持っております。このための資金を借り入れますと、売上に先立って借入の方は倍増する見込みです。

利益はそこそこの水準にありますが、メーカーからのインセンティブに対する依存度がきわめて高く、メーカー側の政策いかんで利益が大きく左右されるのが実状です。

当社の取引するメーカーに限らず、あらゆるメーカーがディーラーに対して今後選別を強める傾向にあります。新規出店を行わなかったり、販売目標を大きく落とすディーラーに対しては、厳しい手を打ち出してくると言われており、全体として大きな伸びが期待できない今後の国内市場の中で生き残れるかどうか正念場を迎えています。

販売台数を増やすには、セールスマン一人当りの販売台数を増やすか、セールスマンを増やすかの二つの方法しかありません。月に五台も六台も成約できるセールスマンはたしかにおりますが、例外的な存在であり、経験と訓練だけではなかなかそうはなるものではありません。そういうスーパーセールスマンを増やそうとするよりも、むしろ新人を採用し、四年かけて月に二台、三台を確実に売れるセールスマンに育成していく方が無難だと思っています。

販売拠点を新規に設けるには、大きな投資が必要となりますので、慎重に考えなければなりません。そこで販売台数の倍増をまずセールスマンの増加による販売力の強化によって実現したいと考えています。毎年四名前後のセールスマンを採用し、これからの四年間でセールスを倍増し、年間九百台を販売する陣容を確保したいと考えています。

当社にとっては、セールスマンの採用と重点的な教育による顧客満足度の向上は、足元の利益を落とす可能性があっても、先行投資と考えてやらざるをえません。景気が低迷している現在こそ、むしろ思い切ってそういった先行投資はやるべきではないかと考えております。

しかし、一方で当然さまざまの不安要因も存在するわけで、とくに競争の激化により利益水準が大きく下がることも考えられ、難しい状況に直面するかもしれないという不安がつねにあります。塾長はかねてから「まず足元を固めて利益率の向上を図り、それから投資するように」と先行投資については戒めておられますが、いかがお考えになりますでしょうか。

〔回答〕投資は機に応じて。間接人員を抑え利益の増大を

私の会計学の原則のひとつ、「筋肉質経営の原則」の中に、「固定費の増加を警戒する」ということがあります。京セラはメーカーですから、設備の優劣によって生産性が左右されますが、それでも私は、創業当時からずっと長い間「機械設備は中古品で我慢しなさい」と言ってきました。また、設備投資だけではなく、固定費の増加となるものについては、非常に警戒してまいりました。人員の増加、中でもとくに間接人員の増加については、大変厳しくチェックをしてきました。

いまお話しいただいたことによりますと、総勢五十名の組織の中でセールスマンが十五名ですから、三〇%がセールスマンです。つまりセールスマン一人が、自分も含めて三人を養っていることになります。それに対して今後は毎年四名ずつセールスマンを増やして、四年後には倍増することを考えておられます。

この場合に、まず現在の間接人員を一切増やさないことが重要です。そうして、セールスマンだけを増やすことにしますと、その場合、新卒で若い人を採用し、その人たちが自分の給料分だけを稼ぐのであれば、一人平均年間十台を売り上げなければな

らないとしましょう。そうすれば、採用してからどのくらいの間トレーニングをすれば、年間十台売れるようになるか、ということが問題となります。その台数が売れるまでは、自分の食い扶持さえも稼げないわけです。これが相当経営の負担になります。現在の利益が、この新たな負担に十分耐えられるかどうかをまず吟味する必要があります。まず倍増ありきで、無理な負担となるような採用をしてしまうことは避けるべきであり、余裕を持って持ちこたえられる範囲で新人を採用していくべきです。

何年後かわかりませんが、その人たちが一人年平均三十台を売るようになったときには、利益率は大きく向上するはずです。間接人員は増えていないわけですから、一人前に育ったかつての新入社員は一人で三人分を背負わなくてもよく、三十台売ったら二人分の給料がすべて利益になるわけです。今、十五人で五十人を食べさせているのに比べて、今度は三十人で六十五名を食べさせていくわけですから、ずっと楽になってくるはずです。利益率は今の数倍にはならなくてはおかしいということになります。

業績を見ますと今年売上は伸びましたが、利益率は少し下がって、これまで確保していた五%を割り込んでいます。これには非常に注意を払う必要があります。売上が伸びれば経費も増えるのは当然だと思っていますと、経費は売上の伸び以上に増えてしまうものです。ですから、利益が伸びたと喜んでいるわけにはいかないのです。それよりも利益率が下がったことを大きな問題として真剣に考えなければなりません。少なくとも、五%は利益を出すということを、目標とすべきです。新入社員の採用という先行投資をする前に利益率が下がっていたのでは困ります。まず、現在の経費を徹底的に抑える必要があります。

着実なやり方で進めようと強く意識しておられるので、それは大変良いと思います。非常に慎重なだけに、勇気を持っておやりになって間違いないと思います。五%という利益率を最低限確保して、そのうえで新たな投資をするようにしてください。

事業を展開するにあたっては、「機」というものがあることに注意する必要があります。「天の時、地の利」などと言われますが、安全や環境への本格的な関心が高まっていることなどからしても、お話になっているビジネスには大きな将来性が感じられます。それが「商機」であると確信したら、思い切って打って出るべきです。私は「土俵の真ん中で相撲をとれ」と言ってきましたが、それはそういうチャンスのときに心配なく手が打てるようにつね日頃から余裕が持てるように経営を進めなさいということなのです。経費の削減をはじめ全社を引き締めながら、前向きな投資をする態勢をとっていかれてよいのではないかと思います。社員全員にこれから大きな飛躍のための投資をすることをよく理解してもらい、それぞれの足元を固めさせるのです。

放っておけばセールスマンを一人増やすと、間接の人がまた一人増えるというふうになっていくものです。それを絶対にしないことです。整備のサービス体制についても工夫を重ねて、セールスだけを増やしていくということに徹するのです。それにともない利益率は、自然と上昇していきます。

事業を拡大していけばいくほど、経営者はより細かく経営の状況に目を配っていく必要があります。ここで改めて詳しくは述べませんが、ただ「経費の削減」というのではなく、店舗ごとに採算をきちんと出し、「売上最大、経費最小」ということで店長はじめ社員全員に注意を徹底させるというようにすべきかと思います。また、整備サービスにも独自の収入があるのではないかと思います。たんなる販売補助の間接部門ではないと考えるべきでしょう。場合によっては、整備サービスと販売に分けて、さらに中古車センターができたらそれは新車の販売とは採算の構造が違うでしょうから、それも別にして、それぞれの採算をきちんと見ていくということが、経営として非常に重要になってくると思います。

【経営問答2】大手との提携による資金調達について

〔質問〕

設備投資計画の資金調達について、アドバイスをいただきたいと思います。

当社は宿泊業を営んでおります。全国的に宿泊業は伸び悩みを見せておりますが、当社の立地する観光地は各旅館の施設も新しく、訪れる観光客が増加しております。しかしながら、各旅館・ホテルとも後継者難が慢性化して深刻な問題となっており、支配人に良い人材を得るのも難しくなっています。時間的に不規則でハードな仕事であるため、客室係の人材難にも苦労しています。ただ当社の場合、より近代的な勤務形態にする努力を行ってきたこともあり、幸い従業員の定着率が高く、後継者もおり、その点は比較的恵まれた条件にあると言えます。

当社の宿泊施設は三十年近く前に建築したもので、建て替えを計画しています。水回りや空調設備の老朽化の問題もありますが、現在の観光客の主流である家族・団体旅行に適した客室レイアウトに一日も早く変更する必要があると考えているからです。現在の建物は、ほとんどが、個人および新婚客向けの二、三名用の客室ばかりで、最近の旅行ニーズには十分対応しておりません。会議用施設、宴会用施設、温泉など大人数の団体客に適した多目的なものに建て直し、集客を二倍に、売上は三倍にする計画を立てております。投資に見合う効果は十分に得られると考えております。

さて、最大の問題である資金調達ですが、当社の財務状況は、多くの同業他社よりも良いというわけではなく、大きな設備投資を自己資金でまかなえるような余裕はありません。したがって、今回の建て替えも全額借入とならざるをえません。率直に言って、当社の借入はすでに相当高い水準にありますので、現在の金融情勢のもとでは金融機関からの貸し出しを期待するのはきわめて難しいと思います。また、投資していただく方を広く募ることや、会員制にして資金を出していただくことも考えましたが、現実的ではないと判断せざるをえません。

しかし今回の計画は、たんなる建て替えではありません。三十年をひと区切りにして、これまでの一泊二食以外の選択のない料金体系に代表される伝統的な観光旅館スタイルから脱し、滞在客だけではなく、地元客の開発をも図るなど新たな時代の流れに適応したビジネスへの転換を果たそうとするものです。コスト管理など経営のやり方についても、旧来の曖昧な管理から、近代的合理的な管理方法に転換を図りたいと思います。

そこで実は、最近当地に進出を進めている大手資本との提携を図り、本計画を実現させたいと考えております。隣接の地域にレジャーランドの建設を計画している大手資本にとって、景色の良い温泉地にある観光ホテルとの提携は魅力があるものと思います。提携することによって大手の資金力や信用力を利用し、本計画に必要な資金を調達したいと考えています。具体的には、大手との共同出資によって新会社を設立して、新会社がホテルの経営にあたるというものです。当方は現物出資ということになります。

そこで問題は経営権ですが、私は当方が出資できるのが土地と人材でしかない以上、ある程度の経営権は大手資本に譲っても構わないと考えています。今日のレジャー・観光業は、たんに現地での心のこもったサービスだけではなく、大都会などでの幅広い営業活動や近代的な労務管理、財務管理などが必要になっています。事業を大きく展開していく力や器を持つ人材を家族、親族に得ない場合はすみやかに家族経営と訣別するしかないだろうと考えています。

幸い当社では長男があとを継いでくれますし、支配人や女将といった現場の管理者も後継者の目途がついています。従業員の質も高く、多くの者が今後長く働いてくれると思います。そこで、現在の従業員の雇用が将来とも確保でき、また家族や親族のものが経営陣の一角を占めて、地元の発展にも貢献していくことができるのならば、経営権を一部大手資本に譲渡してもやむをえないと考えております。

大手資本との提携を進めて設備投資を図るという考え方についてアドバイスをいただきたいと思います。

〔回答〕　収益性向上せぬままの拡大は危険

――土俵の真ん中で相撲がとれるように利益率の向上を

率直に言って、どのようにお答えすべきか非常に難しい問題だと思います。

「大手と提携することによって、その資金力や近代的な経営管理能力が利用できるのなら、場合によっては経営権の相当部分を大手資本にゆだねてもかまいません」、とおっしゃっておられます。しかし、これも、家族にあと継ぎがおられ、支配人や女将をはじめ、現在いる人たちに運営を引き続きまかせてもらうことが前提条件のようにお話を聞きました。

しかし、大変厳しいことを言うようですが、そういうことはまずありません。もし、あなたがお考えの通り大手資本が興味を持ってあなたと共同経営をすることになったとします。そして三十年に一度という大きな設備投資の資金を銀行から借りるとします。そうしますと、当然銀行は大手資本の保証を要求してくるはずです。大手資本としては保証をするというのは自分が銀行から借入をすることと同じわけですから、おそらく経営権は実質的に一〇〇％確保しようとするでしょう。出資される土地の評価という問題はありますけれども、おそらくそれは一〇％、二〇％くらいしか見ないでしょう。のれんや人材という無形で不安定なものは評価などされないと思うべきです。つまり、九〇％、八〇％という経営権を大手は確保しようとすると思います。

後継者の方や支配人や女将といった従業員のみなさんは当然引き続き長く使ってもらえるという前提でいらっしゃるわけです。しかし、おそらく二、三年使ってみて、息子さんの経営者としての能力、そういうものがないと判断されれば、あるいはたとえ能力があったとしても大手資本の望むような経営となっていなければ、容赦なくはずしていくと思います。支配人や女将にしても同じことです。ですから、大手資本を入れてもいいけれども、経営者や従業員を今まで通り使ってもらえるという保証は何もない話なのです。

冷たいと思われるかもしれませんが、大手資本は最終的に自分の責任となってくるお金をこの事業に注ごうとするわけですから、非常にクールに行動しなければならないわけです。資本の論理として当然自分が投資をしたものを保護する、守ろうと考えるわけです。

このようなお話は実はめずらしいものではないと思います。私も申し上げながら胸のうちに非常な苦しさを感じているのですが、中小企業や地方の商店街のお店など例外なくこのような問題を抱えられている、あるいは今後直面されるのではないかと思います。

身も蓋もないようなことを言いますけれども、ご自分のお考えで事業の展開を図ろうとするのに大手資本の参画を求めるというのは無謀な判断だと思います。

厳しいことを申し上げますが、業績の推移を見ますと売上は少し伸びていますが、営業利益にはまったく伸びがありません。借入金の金利負担が大きいために、経常利益はあまりにも低い状態です。一方で、償却費は毎年増加してきています。これだけの償却をしておられますから、利益は大きくなくともキャッシュフローが確保されて、借入の返済が進んでいかなければなりません。しかし、現実には逆に借入の方も増えているという状況です。まず考えなければならないのは、この足元の収益性と財政状態をどのようにして向上させるかということです。

「天は自らを助くるものを助く」という諺がありますけれども、実にその通りなのです。自分で自立していくという力がありませんと、銀行は融資をしてくれません。自分で雨をしのげる人にだけ銀行は傘を貸すのです。大きな計画を実現するために大手資本と提携するというお話なのですが、実は自分でやっていく力がもともとないために大手資本からお金を出してもらおうということになっているわけです。

ある程度の規模の売上があって、それが少しずつでも増えているのに利益は低いどころかいっこうに伸びない、借入金は増え続けている、というのが足元の現実です。これではこの先行き詰まるのは明らかです。このような状況をそっちのけにして、何か目新しい手を打って起死回生を図ってみても、決してうまくいかないと思います。とにかく、自分の内容を自力でよくしていくことがどうしてもまず必要です。

新たな投資をすれば、今の売上が三倍になるであろう、ともおっしゃいましたが、二倍というならまだしも、三倍になるということには、非常な飛躍があります。事業規模が三倍になれば、人の問題から、内部管理の問題から、あらゆる問題で経営の難しさも幾何級数的に大きくなります。いくら新築したとはいえ、現在の三倍のお金を落としていただけるように簡単になるのか、計画が少し楽観的すぎはしないだろうかと心配をします。

築三十年近く経っている今の建物では今後やっていけないのであれば、改築という問題にぶつかるわけです。旅館やホテル用のコンクリートの建物は三十年も経ったら老朽化が進むわけで、本当はその時点では減価償却がほとんど終わりかかっていなければなりません。水回りや空調設備の老朽化の問題もおっしゃいましたが、こういったものはすぐにダメになるわけで、建物本体とは別にして十年くらいで償却していくべきものです。定率法で償却していればすでに償却負担はもうないに等しく、その分十分な収益が上がり、将来の投資のために内部留保がたまっていなければならないのです。せめて売上の一割くらいの利益が出て、それを内部留保をして蓄積していくことが必要だったのです。

私は創業後まもなく、松下幸之助さんから「ダム式経営」のお話をうかがい、何とか会社に蓄えをつくろうという強い意志を持って経営していくことの重要さに気づかされました。土俵際に追いつめられてから勝負に出るのではなくて、まだ、土俵までの余裕のあるうちに背水の陣を敷いて、採算の向上に日夜努めてきました。今、あなたがやるべきことは、まず収益を上げることです。「売上を最大に、経費を最小に」を実践していかなければなりません。しかし、経費を最小にしてサービスが悪くなり、料理もまずくなってしまいお客が離れてしまったというのでは意味がありません。現在の建物で、料理やサービスを素晴らしいものにしながら、コストをどこよりも下げるということです。それには尋常ではない努力と創意工夫とが必要になります。

これは誰でもができることじゃないかもしれません。これができれば名経営者なのでしょうが、とにかく徹底して収益の改善をやるべきです。構想自体がどんなに魅力的であっても、足元の収益が上げられない状態で拡大しては、危険性が増すばかりです。

たとえ、お話の中で言っておられる大手資本なども含め、お考えの計画に賛意を示して好意的に融資や出資をしてくれるところがあったとしても、もし計画が実現できなければ、出資者側の資金回収という問題に直面して、あなたが大変な痛手をこうむることになります。他人の資本や信用のみをあてにして事業展開を図ることは、非常に危険なことです。

【経営問答3】拡大による借入金の増加について

〔質問〕

当社は産業用物品の運送業を営んでおります。この間トラックの数を増加させるとともに、子会社を設立して倉庫、配送センターなどの事業拠点を拡大してきました。また最近、地元客先が地方の工業団地に集団で移転したため、客先との関係を維持する目的で当社もその団地内に運送品の加工工場を設けました。その団地には純然たる運送業の拠点設置は認められないためです。これらの新規投資にともなって借入金も増加してきました。

運送業界は零細企業が多数を占めていますが、競争は激化の一途をたどっております。生き残るためには、ある程度の企業規模と事業基盤とが必要となってきており、焦眉の課題として、この間拡大方針をとってきたわけです。

しかし、運送業というのはこつこつと働くことが基本の仕事であり、事業展開によって利益が急に拡大することはありません。今後は、国内産の各種工業製品が輸入品に置きかわっていくことから、労働条件を今後とも引き上げていけるのかという不安もあります。このような状況においては、一度とった事業拡大方針を見直しても、借入金の圧縮を図り、会社の体力がさらに充実した段階で、改めて業容拡大を図るべきではないのかと悩んでおります。

最近五年間の当社の投資は車庫等の土地取得が大半ですが、工場設備などにも投資しており、五年間でほぼ一年間の売上に相当する額の投資を行ってきました。

この数年間売上は増加基調にあり、利益率も売上規模の拡大によってよくなってきていますが、金利負担、償却負担はともにずっと増加しています。また加工部門は、売上がまだ低く、現段階ではすぐに採算がとれるような事業になることは期待できません。

借入金の削減が重要な課題であると考えていますが、工場設備への追加投資が必要であり、借入金がさらに増大する見込みです。拡大方針を続けていけば、借入金は返済できても、新規の案件が次々に発生するため、そう簡単に借金体質から脱皮できそうにもありません。

このような状況の下で、これまでの路線でさらに拡大を続けていくべきか、それともいったん戦線整理を図って経営体質の強化を主眼とすべきか、その選択が大きな岐路となるのではないかと考えております。生き残りを賭けて何をなすべきかお教え願います。

〔回答〕　損益計算書を見て数字を理解するべき
――会計がわからないで経営はできない

大変難しい質問です。まず、運送業と加工業と二つありますから、それぞれを独立した部門として、減価償却費も人件費も含めて費用をきっちり分けて損益を計算し、それを合算して会社全体を見るというようにしなければならないと思います。

投資の内容は、大半が車庫用地および工場用地ですね。土地は償却しませんから、貸借対照表の上でいつまでもその金額が残ります。ですから土地を取得する場合には、キャッシュフローの観点から「お金が回るか」ということで判断すれば良いのです。事業の運転資金がまかなえておれば、ある土地を寝かしていても、銀行から借りているか、手持ちのお金があるかは別にして、その金利が払えるというだけでいいのです。

ところが工場の機械、工作物および工事にかかったお金は、まったく違います。金利に加えて償却費の負担がかかってきます。

つまり、土地を取得するには最初にお金がありさえすれば、経費はその金利だけを負担すればいいわけですが、工場の設備投資の場合は、金利プラス減価償却が負担となり、それに耐えうるだけの収益が継続的に生み出されなければならないのです。

この三年間は激しい競争の中で積極的な展開によって売上を順調に伸ばしておられます。経常利益を見てみますと、金利や償却費は増加していますが、かって四%程度しかなかった売上高経常利益率が一〇%近いところまで伸びてきています。

あなたは、次々と事業が拡大しているので、少し設備投資に加速度がつきすぎていないかと心配しておられます。それならば、今後経常利益率が一〇%に達して、それがさらに少しずつ上がっていくかどうかということで判断していくべきでしょう。業容の拡大と同時に利益も上がっていくような経営となっているかどうかを判断の基準として経営していくべきです。

全体の事業規模が拡大しますと、設備の償却費だけではなくて、すべての経費が大きく増えていきます。それを抑えていくような経営をして、経費の伸びが売上の伸びよりも低くなるようにすればいいのです。

ただ現在は金利が非常に安くなっていますが、金融情勢は非常に激しく変わっていきますので、そのうちに金利が上昇することは十分に考えられます。今は低い金利だから、これだけ設備投資をしていっても、利益は何とか伸びていますが、これが高い金利になったときには、もう一銭も利益は出ないはずです。赤字経営に転落する可能性だってあります。利益が減ってくれば銀行の方が心配して貸付を抑えようとする、あるいは引き上げようとするといった事態になるかもしれません。黒字であっても、資金が枯渇すれば倒産してしまいます。

ですから、金利が一％上がれば経常利益はいくら落ちる、何％上がれば利益はなくなってしまう、ということを月次決算のたびに計算して、経営陣の方々でそれをよく見て事業拡大に少しブレーキをかけるということはすべきだと思います。

金利はもちろん税金もすべて払ったあとに残る税引後利益と、現在の償却とをあわせたもので返済ができる範囲で設備投資の借入をするというのが原則です。しかし、借金を増やして事業を拡大することが不安で仕方がない、借金はとにかく早く返したいと思うのは非常に大事なことです。私が経営というものに初めて取り組んだころ、支援していただいた方が自分の家屋敷を担保に、銀行から一千万円借り入れてくださいました。私はそれを何とかして早く返済しようと必死になっていました。するとその方から「償却負担と金利負担に耐えることができれば、お金を返すよりもむしろさらに借りて事業を拡大するのが事業家というものだ。元本の返済は償却でやっていけばいいのですから」と言われたことがあります。

私の場合は、それでも借金はイヤで懸命に返済していったのですが、その方はあきれて、私のことを「所詮いい技術屋ではあっても、いい経営者にはなれない」とまで言われました。しかし私は、借金の心配はせず土俵の真ん中で思い切って相撲をとるということがどうしてもやりたかったのです。そして、幸いその後、借金をしないで事業を拡大するという経営ができるようになりました。

今ご心配されることはもっともだと思います。その調子で注意深く頑張っていかれたらきっと会社は立派になっていくと思います。

【経営問答4】経営目標の決め方について

〔質問〕

年間計画や中期計画をつくるとき、年間の売上などの伸び率はどうやって決めていけばいいのか悩んでいます。

たとえば、伸び率を二〇%にするのか、二五%にするのか、三〇%にするのか、どれをとって計画に盛り込むかといった場合、当然私としては三〇%をとりたいのはやまやまなのですが、部下のいろいろな意見や、市場環境の問題もあります。どの線で決めていくのか、ということは大変難しいことだと痛感しています。

目標が過大になれば、どうしても絵に書いた餅のように思われてしまいますし、過小であれば職場の雰囲気にたるみが出てくるようにも思います。職場に緊張をみなぎらせ、頑張れば何とか手が届くと思わせることのできる目標は、どのように決めていけばいいのでしょうか。

目標を決めるとき、トップダウンでいくべきか、ボトムアップでいくべきかも問題です。トップダウンですと「与えられたもの」と思われますし、ボトムアップですと、前年の水準から少し上げて持ってくるという程度のことしか考えてくれないということになるものです。何を重視して、どうやって目標を決めていかなければならないのか、ポイントを教えてください。

〔回答〕 経営目標はトップの意志——集団の心をどう燃えさせるか

実は、そういうことを悩んでおられることが、すでに経営者として立派なのです。目標の設定というのは、経営の中でも非常に大きなファクターであり、一生懸命に経営していれば、必ずこのような悩みを持たれるはずです。どんな会社でも、これは永遠の課題なのです。

経営というのは、人間の集まりをどうするかということです。ですから経営は人の心の動きを抜きにして語れませんし、また人の心を無視して経営はできません。

目標設定の問題はまさに人の心をどうするかの問題です。たとえば、目標を設定し、その目標がどうしても達成できないとなれば、そのような現実性のない目標を掲げたままにしておくのはおかしいと言われる。さりとて、その目標を下方修正すれば、今度は目標なんていくらでも変えることのできるものだと思われ、さらに下方修正することになる。従業員がこのような心をいだくようになれば、目標を下げようが下げまいが、いずれにしてもダメなのです。

私は、経営者の役割というのは、会社に生命を吹き込むことであると考えています。会社という組織を人間の体に例えるならば、経営者というのは司令塔の役割を担う脳細胞にあたるものです。経営者が会社について誰よりも真剣に考え、みんなの先頭に立っていきいきと行動しているときは、会社は躍動しています。しかし経営者が少しでも自分のことを優先させ会社のことを忘れていると、その間会社は生命力を失っているのです。

ですから、経営者が会社について誰よりも真剣に考え、私心をはさむことなく、自らの意志で決断し、つくっていくものが経営の目標というものです。

つまり、目標が高いか低いかをどう判断するのか、トップダウンで決めるかそれともボトムアップでいくか、というような発想で考えるのでは、決して優れた経営はできません。目標を設定するためのいい方法がわかっていれば経営なんて誰にでもできます。

問題は、目標値の高い低いではありません。まずは、経営者としてあなたが「こうありたい」と思う数字を持つことです。経営目標とは経営者の意志そのものなのです。そのうえで、決めた目標を社員全員に、「やろう」と思わせるかどうかなのです。

とてつもない高い数字を出して、意志だ、意志だと言っても、「社長、それはいくらなんでも無理です」とみんなあきらめてしまいます。「去年もマイナスなのに、急に倍以上増やせなんて不可能だ」と、しらけてしまいます。いくら意志が入っていたとしても、それでは何にもなりません。ですから「人の心をどうとらえるのか」が、経営において一番大事なのです。これは何も企業の経営者だけの問題ではありません。学校の教師であれ、野球の監督であれ、人の集団である組織があれば、その中にいる人の心理はどうなっているのか、それはどうすれば動かせるのかがわかっていることが大事なのです。

経営目標という経営者の意志を全従業員の意志に変えるには、やはりトップダウンでしかありません。そうでなければ、みんなが苦労をあえてするような大きな数字が出てくるはずはないのです。トップが「来年は倍やりましょう」と、言い出さなければならないのです。そして、「うちの会社はこのままではダメになる。何とかしなければならない。やりようによっては、東京にあるあの会社のように伸びるかもしれない」とか、「当社でも、やりようによってはいけるかもしれないんだ。今までは低迷して、ちっとも伸びてくれなかったが、今年は思い切って倍ぐらいに会社を発展させようと思う」と、まず社長の方から働きかけ、いざ目標として「今年は倍やろう」と言ったときに、周りの者が「一緒にやりましょう」と自然に言うような雰囲気をつくることが必要なのです。

人間は誰だって新たなものに挑戦し、現状を打破したいという気持ちを心のどこかに必ず持っています。今あることの延長でやっていくだけではつまらないと思う心を持っているのです。しかし、無難にしていればいいのじゃないか、あまり変わったことを言い出すのはいかがなものか、という気持ちもまた持っています。そして不思議なことに集まる人間の数が多いほど、新たなものに挑戦しようという気持ちは隠れてしまいがちになるのです。ですから、放っておいたら会社の従業員はどんどん消極的になっていきます。そこで経営者は、人間の持っている挑戦したいという新鮮な気持ちを表に引っぱり出すことができなければなりません。「ようし、やってみるぞ」という気持ちを引き出すのです。それにはやはり、「思い切った目標でなければならない」と思われませんか。

しかし、思い切って大きな目標を立てる場合は、やはりそこに大きな商機というものが存在するものでなければなりません。その商機というのもただ待てばいずれは来る、というものではありません。目標は何か、いったい何をやりたいのか、ではそのために何をどうすればいいのか、何度も何度も頭の中でシミュレーションをすれば、やがて商機のありどころが見えてきます。そこへみんなを引っ張っていくわけです。そして、どれだけのものをねらうのか、それがみんなに示す目標なのです。

中国の古典に「天の時、地の利、人の和」という言葉がありますが、天の時や地の利を得たとしても、最終的にことを決するのは心のあり方なのです。多くの者が自ら飛躍を求め、目標に向かって進むようになると、たとえ冷めた見方をする社員がいたとしても、いつのまにか会社全体にその目標へ向かって進もうという気が起こってくるものです。要は、心理の問題なのです。たとえばあらかじめコンパでも開いて、これからは何か違ってくるという雰囲気をつくっておかなければならないのです。

しかし、これは経営者にとっては永遠の課題でもあります。目標を立てて、その目標を達成することができれば、従業員がその目標に対して十分やる気を持ったということになります。また、目標が達成できなければその逆だということになります。結局、目標数値を決め、みんなのやる気をそれに向かって燃えさせる、というのが経営者のもっとも大事な仕事だということなのです。

【経営問答5】「原価管理」の問題点

〔質問〕

当社は、創業してまだ間もない会社で、産業機械用部品を製造しております。最近、市場の拡大により生産が急激に伸び、品種も拡大して製造部門の採算が見えにくくなってきました。このまま事業が拡大していくと、事業の実態がわからなくなってしまうことを危惧しており、経営の内容がきっちり把握できる管理会計システムの導入を早急に検討したいと考えています。

製造業の場合は、原価計算を採用して採算管理をしている会社がほとんどであると聞いておりますが、京セラではこれまで原価計算を使わず、アメーバ経営による独自の管理方法で経営されてこられたとうかがいました。そこで、通常の原価計算について、どのようなことが問題であるとお考えなのかをお教え願います。

〔回答〕　メーカーの利益は製造で生まれる

おっしゃるように多くのメーカーは、原価計算による採算管理、とくに標準原価計算と言われるものを採用していますが、京セラでは採用しておりません。そのきっかけとなったのは、今から二十年ぐらい前に、ある電機メーカーから聞いた次のような話です。

この話は当時低収益に苦しんでいたこのメーカーの幹部から、聞いたものです。その方の事業部では家電製品をつくっており、事業部の製造部門は原価計算で管理されていました。このシステムではまず、今年この製品の小売値段はいくらになるだろう、秋葉原などの電気屋街でいくらで売られることになるだろう、と末端価格を予測します。そして、末端価格から出発して、その小売店に卸すときの値段はいくらで、流通段階でのマージンはいくらで、その分を差し引いて、あと営業と間接部門の費用をまかなって目標の利益を出す、すると製造はこの原価でつくれば良い。そういう設定をして、工場に「この原価でつくりなさい」という指示を出すわけです。それを「目標原価」と言っています。

工場では一生懸命製品をつくり、「目標原価」通りにものができれば、その工場は合格です。ただし、その工場が儲かったということではなくて、目標原価まで下げれば、また生産数量が確保できれば合格なのです。そうすると、その目標原価で営業が引き取って、当初決めたように、何がしかのマークアップをして卸問屋に販売します。

ところが、思惑通りにうまくいかないのが市場です。ちょっと特徴のある競合品が出てくるともう製品が古くなったように言われ、ずいぶん値下げしないと売れず、値をたたかれます。小売りが値を下げると、当然、卸問屋はメーカーへ「古いものはもっと安くしろ」と迫る。値下げしなければ、在庫がたまってもう仕入れられないと泣きつかれる。そうすると結局何割引という値下げでは追いつかないようになって、値崩れしてしまいます。

当初メーカーとしては、二割のマージンを取るよう計画していたとしても、あとでどんどん売値が下がっていきますので、マージンはどんどん減っていき、結局残りは数%ぐらいということになってしまいます。もっとひどい場合は、たとえば、半導体産業で見られるように、いったん市場価格が崩れ出すと、とめどもない暴落となり、流通でも製造でもいっせいに大赤字となってしまうようなことになります。

とにかくそういうことの繰り返しで、家電品はつくっても利益が出ないということが社内でも当たり前になり、みながあきらめてしまって、もう手の打ちようがない、よほどのヒット商品でも出なければどうにもならない、ということになっているというのです。

では、何が問題なのか。本来メーカーでは、付加価値や利益を生み出すところは製造しかないはずです。つまり「製造で利益を出す」というシステムになっていないことがそもそも問題なのです。製造では、利益を目標とせずに、要求された数量を、目標として与えられた原価で達成できればよい、ということになっている、それが問題なのです。

この原価計算方式によるシステムでは、営業担当重役が製造にいくらの原価でつくらせて、いくらで売るかを決めています。原価計算の発想ですと、製品の供給者が価格を決めるということに必ずなりますから、まずコストありきで、そこから供給者の論理で市場を動かそうとすることになります。しかし、実際は、売値は市場で決まるものです。供給者側の論理でいくと、市場に痛いしっぺ返しを受ける。それをこの話はよく示していると思います。

今後の市場経済は、世界の企業が市場で自由に競争するグローバルなものとなっていきます。そこで、これからの経営は「価格は市場が決めるものである」という大前提に立って進めていかなければなりません。そのためには、製造業であれば、「価格もコストも固定したものではない」という考え方を基本とし、コストダウンに向かって創意工夫を重ねていく体制でなければならないのです。

「メーカーの利益は、製造で生まれる」のです。ですから、先ほどの電機メーカーの例のように、製造部門をコストセンターとして運営したのでは経営にはならないのです。つまり、製造に「これだけをこの原価でつくれ」と目標原価を与えても、目標までは努力しますが、それがゴールですから、それより原価はなかなか低くはならないのです。製造現場をコストセンター化することは、製造の現場を市場から切り離してしまい、現場に市場の現実感覚を失わせ、そのやる気を阻害してしまうことになるわけです。

製造をプロフィットセンターとする原価計算システムという方法ももちろんあります。このシステムは、先ほどのコストセンターのシステムよりも、はるかに良いのですが、やはり売値というものから離れて、ただ原価目標達成のみに焦点をあてる傾向をどうしても持っています。その結果、利益を製造で出すということを真の意味で追求できるかというと、そうではないように思います。

たとえば典型的な製造採算の管理方法である標準原価計算を使いますと、製品一個ごとに与えられた標準原価というのがありますから、生産量、出荷量に対して標準原価は計算されます。つまり標準原価とは与えられた目標であり、製造としてはまず標準原価を達成することが目標となります。標準原価をどれだけ「超過達成」したか、あるいはどれだけ届かなかったかで製造は評価されます。これを「原価差額」による評価と言います。与えられた原価目標に対して「プラスの差額」を出すと製造はほめられるわけです。そしてこの原価差額がどこで、どのようにして出てきたかを分析するわけです。材料の歩留まりか、資材の値下げか、工程時間の短縮か等々です。非常に精密な手法に見えます。実際の売上に対して、標準原価のベースではこれだけ営業利益が出る、それに対しプラスあるいはマイナスの原価差額があったので、実際の営業利益は差し引きこれだけだ、というシステムです。

この手法は製造をしっかりプロフィットセンターにしているように思えますし、多くの大企業のメーカーで管理手法として採用されている方法です。しかし、この管理システムでは、多くの場合、工程ごと製品ごとにかかるコストや時間の把握をするため非常な経費と労力がかかります。そしてさらに、原価の「標準」を設定し、実際の原価と比較分析して評価を行うのは、製造部門ではなく、原価管理部門や原価計算部門という管理部門であるという大きな問題があります。管理部門は、自分たちで実行する目標ではないのですから、つねに「過去の実績にもとづいて」、そこからほんの少し良くなるようにと目標を設定するしか方法はありません。これでは製造部門の自主責任経営にはならず、製造の利益を生み出すコアがその製造以外の管理部門の管理下に置かれるという、管理を重視した経営になるのです。このような形で経営管理を行うことは、とくに大企業の場合つねに組織の官僚化の危険をはらんでいます。

では、どうすれば良いかというと、たとえば「アメーバ経営」のように、製造部門を真の意味でのプロフィットセンターとすること以外にはないと思います。アメーバ経営では、製造部門が現実に動く市場に直面するようになっています。変動する市場価格に直結する売価に対して、自らが責任を負うようになっており、市場に柔軟に対応し、経費を引き下げ、利益を上げられるような仕組みになっているのです。また、目標の売上・利益というものは、製造部門が自らの採算を向上させていくために、思い切った高い数字を上げられるようになっています。さらに、そういう挑戦的なシステムの中で、費用項目はわかりやすく管理しやすくなっており、結果として徹底してコストが下げられるようになっているのです。この方式では、文字通り製造が利益を稼ぐ主役として舞台に上がれるようになっているわけです。

ここでもし、原価計算による管理会計を導入されるとしても、原価計算方式の含む問題点を克服することができるように工夫をして、「メーカーの利益は、製造で生まれる。製造が経営の主体となるようにする」ということを前提にして、原則に忠実でシンプルなシステムにすること、製造の現場側が簡単に理解でき、また活用できる管理システムをつくっていかれることが、重要であると思います。

おわりに

最近、政界、官界、そして経済界の各界において、不祥事・不正事件があとを絶たない。企業の倫理や内部規律に対する根本的な疑いを世間に与えるような事件が発覚し、大きな衝撃を与えている。

とくにバブル経済崩壊以降、いくつかの日本の金融機関が信用を失い破綻に追い込まれ、日本の金融界に対する不信感が国際的に広まっていることは、金融機関の持つ社会的使命や役割から見てきわめて深刻な問題である。この不信感が日本経済の将来に対する悲観論や株式市場の低迷など社会経済に大きな悪影響を与えているのである。

このような問題を解決するために、昨今コーポレートガバナンスのあり方についての議論が盛んであるが、問題はたんにシステムや制度のあり方にあるのではなく、経営者が会社を経営するために不可欠な座標軸を見失い、会社経営の原理原則を見失ってしまっていることにあるのではないだろうか。

私は、会社経営はトップの経営哲学により決まり、すべての経営判断は「人間として何が正しいか」という原理原則にもとづいて行うべきものと確信している。このことを講演などで話す中で多くの方々から、「それでは実際の会社経営において、具体的にはどのようにすればいいのか」とよく訊ねられた。そこで、本書では具体的な経営論である会計学を論ずることを通して、会社経営のあり方、経営の基本的な考え方を明らかにしようと試みた。

現在の混迷した状況を乗り切り、素晴らしい事業展開を行っていくために、本書に述べた経営のための会計学の原理原則が、少しでも参考になることを心から期待している。

本書は一九九八年一〇月に日本経済新聞社から刊行されたものです。

日経ビジネス人文庫

稲盛和夫《いなもりかずお》の実学《じつがく》
経営《けいえい》と会計《かいけい》

2000年11月7日 第1刷発行
2017年9月27日 第50刷

著者
稲盛和夫
いなもり・かずお

発行者
金子 豊

発行所
日本経済新聞出版社
東京都千代田区大手町1-3-7 〒100-8066
電話(03)3270-0251㈹
http://www.nikkeibook.com/

ブックデザイン
鈴木成一デザイン室

印刷・製本
凸版印刷

本書の無断複写複製(コピー)は、特定の場合を除き、
著作者・出版社の権利侵害になります。
定価はカバーに表示してあります。落丁本・乱丁本はお取り替えいたします。
©Kazuo Inamori 2000 Printed in Japan ISBN978-4-532-19006-4

好評既刊

稲盛和夫の実学
経営と会計
稲盛和夫
バブル経済に踊らされ、不良資産の山を築いた経営者は何をしていたのか。ゼロから経営の原理を学んだ著者の話題のベストセラー。

稲盛和夫の経営塾
Q&A 高収益企業のつくり方
稲盛和夫
なぜ日本企業の収益率は低いのか？ 生産性を10倍にし、利益率20％を達成する経営手法とは？ 日本の強みを活かす実践経営学。

アメーバ経営
稲盛和夫
組織を小集団に分け、独立採算にすることで、全員参加経営を実現する。常識を覆す独創的・経営管理の発想と仕組みを初めて明かす。

人を生かす 稲盛和夫の経営塾
稲盛和夫
混迷する日本企業の根本問題に、ずばり答える経営指南書。人や組織を生かすための独自の実践哲学・ノウハウを公開します。

ビジネススクールで身につける会計力と戦略思考力
大津広一
会計数字を読み取る会計力と、経営戦略を理解する戦略思考力。事例をもとに「会計を経営の有益なツールにする方法」を解説。

nbb 好評既刊

社長になる人のための経理の本［第2版］

岩田康成

次代を担う幹部向け研修会を実況中継。財務諸表の作られ方・見方から、経営管理、最新の会計制度まで、超実践的に講義。

なぜ閉店前の値引きが儲かるのか？

岩田康成

身近な事例をもとに「どうすれば儲かるか？」を対話形式でわかりやすく解説。これ一冊で「戦略管理（経営）会計」の基本が身につく！

社長になる人のためのマネジメント会計の本

岩田康成

経営意思決定に必要な会計の基本知識と簡単な応用を対話形式でやさしく講義。中堅幹部向け「超実践的研修会」を実況ライブ中継。

実況　岩田塾　図バっと！わかる決算書

岩田康成

若手ＯＬとの対話を通じ「決算書は三面鏡」「イケメンの損益計算書」など、身近な事例で会計の基礎の基礎を伝授します。

儲けにつながる「会計の公式」

岩谷誠治

たった一枚の図の意味を理解するだけで会計の基本がマスターできる！　経済の勉強や仕事に必要な会計の知識をシンプルに図解。

好評既刊

ジャック・ウェルチ わが経営 上・下

ジャック・ウェルチ ジョン・A・バーン
宮本喜一＝訳

20世紀最高の経営者の人生哲学とは？ 官僚的体質の巨大企業GEをスリムで強靭な会社に変えた闘いの日々を自ら語る。

ビジネススクールで身につける仮説思考と分析力

生方正也

難しい分析ツールも独創的な思考力も必要なし。事例と演習を交え、誰もが実践できる仮説立案と分析の考え方とプロセスを学ぶ。

江連忠のゴルフ開眼！

江連 忠

「右脳と左脳を会話させるな」――。歴代賞金王からアマチュアまで、悩めるゴルファーを開眼させたカリスマコーチの名語録。

チャールズ・エリスが選ぶ「投資の名言」

チャールズ・エリス
鹿毛雄二＝訳

ケインズからバフェットまで、投資判断に迷った時や「ここぞ」という時に勇気と知恵を与えてくれる、天才投資家たちの名言集。

仕事で本当に大切にしたいこと

大竹美喜

弱みを知れば、それが強みになる。強く信じることが戦略になる。自分探しと夢の実現に成功するノウハウを説く。

nbb 好評既刊

イラスト版 管理職心得
大野 潔
部下の長所の引き出し方、組織の活性化法、仕事の段取り力、経営の基礎知識など、初めて管理職になる人もこれだけ知れば大丈夫。

春の草
岡 潔
世界的数学者であり、名随筆家として知られる著者が、自らの半生を振り返る。日本人は何を学ぶべきかを記した名著、待望の復刊！

勝利のチームメイク
岡田武史
平尾誠二
古田敦也
「選手の長所だけを見つめていく」「勝つ感動を全員で共有する」――。三人の名将がここ一番に強い集団を作るための本質を語る。

鈴木敏文 考える原則
緒方知行＝編著
「過去のデータは百害あって一利なし」「組織が大きいほど一人の責任は重い」――。稀代の名経営者が語る仕事の考え方、進め方。

鈴木敏文 経営の不易
緒方知行＝編著
「業績は企業体質の結果である」「当たり前に徹すれば当たり前でなくなる」――。社員に語り続ける、鈴木流「不変の商売原則」。

nbb 好評既刊

考える力をつける数学の本

岡部恒治

「トイレットペーパーの長さを測るには?」「星形多角形の内角の和は?」。見方を変えれば意外と簡単。思考力養成のための数学。

28歳の仕事術

小川孔輔＝監修
栗野俊太郎・栗原啓悟・並木将央

仕事のやり方に悩む人に向けた等身大ビジネス・ストーリー。物語を楽しみながら、ビジネススキル、フレームワークなどがわかる!

これは便利! 正しい文書がすぐ書ける本

小川 悟

豊富な実務経験と研修実績を持つビジネス文書のプロが、簡単にすぐ書ける文書術の秘訣を公開。用例を中心に勘所を伝授します。

ヒットの法則

奥井真紀子・木全 晃

体から甘い香りを発散する「ふわりんか」、乾電池1000本を1本で代替する「エネループ」——。ヒット商品の開発秘話満載!

ヒットの法則2

奥井真紀子・木全 晃

モノが売れない時代でも〝ヒット商品〟は誕生する。一体、なぜ売れるのか。深掘りした取材を元に、その開発の舞台裏に迫る。

nbb 好評既刊

その仕事、利益に結びついてますか？
金児 昭
「会計マインド＝強いビジネスに必要な会計の心得」を主な職種ごとに伝授。財務諸表の読み方より役に立つ超実践的入門書です。

経営実践講座 教わらなかった会計
金児 昭
国際舞台でのM&Aから接待の現場まで生のエピソードを満載。教科書では身につかない「使える会計」をカネコ先生が講義します。

「美の国」日本をつくる
川勝平太
歴史家だからこそ見える日本の問題を一刀両断！　グローバル時代に必要な発想とは何かを真摯に問う、明日を考えるための文明論。

近代文明の誕生
川勝平太
日本はいかにしてアジア最初の近代文明国になったのか？　静岡県知事にして、独自の視点を持つ経済史家が、日本文明を読み解く。

資本主義は海洋アジアから
川勝平太
なぜイギリスと日本という二つの島国が経済大国になれたのか？　海洋史観に基づいて近代資本主義誕生の真実に迫る歴史読み物。

日経ビジネス人文庫 好評既刊

伊勢丹な人々
川島蓉子
ファッションビジネスの最前線を取材する著者が人気百貨店・伊勢丹の舞台裏を緻密に描く。伊勢丹・三越の経営統合後の行方も加筆。

ビームス戦略
川島蓉子
セレクトショップの老舗ビームス。創業30年を越えてなお顧客を引きつける秘密は？　ファン必読！　ファッションビジネスが見える！

働く意味 生きる意味
川村真二
心に雨が降る日には、本書を開いてほしい。誰もが知っている日本人の力強い言葉を通して、働くこと、生きることの意味を考える。

心に響く勇気の言葉100
川村真二
信念を貫いた人たちが遺した名言から生きるヒントを読み解く！〝よい言葉〟から意識が生まれ、行動が変わる。明日が変わる。

BCG流 経営者はこう育てる
菅野 寛
「いかに優秀な経営者になり、後進を育てるか」。稲盛和夫や柳井正などとの議論をもとに、「経営者としてのスキルセット」を提唱する。

nbb 好評既刊

日本経済の罠 増補版

小林慶一郎
加藤創太

バブル崩壊後、日本経済の再生策を説き大きな話題を呼んだ名著がついに復活！ 未曾有の世界的経済危機に揺れる今こそ必読の一冊。

そのバイト語はやめなさい

小林作都子

「1000円からお預かりします」「資料をお送りさせていただきました」――。変なバイト語を指摘し、正しいビジネス対応語を示す。

その話し方がクレームを生む

小林作都子

実体験にもとづく例をあげながら、無用なクレームを生まない、もし生まれても大きくしないための、言葉のテクニックを伝授します。

ビジネススクールで身につける問題発見力と解決力

小林裕亨・永禮弘之

多くの企業で課題達成プロジェクトを支援するコンサルタントが明かす「組織を動かし成果を出す」ための視点と世界標準の手法。

V字回復の経営

三枝 匡

「V字回復」という言葉を流行らせた話題の書。実際に行われた組織変革を題材に迫真のストーリーで企業再生のカギを説く。

nbb 好評既刊

なぜ会社は変われないのか
柴田昌治
残業を重ねて社員は必死に働くのに、会社は赤字。上からは改革の掛け声ばかり。こんな会社を蘇らせた手法を迫真のドラマで描く。

柴田昌治の変革する哲学
柴田昌治
独自の企業風土改革論で脚光を浴びる著者最新の「日本的変革」の方法。コア社員をネットワークして会社を劇的に変える実践哲学。

なぜ社員はやる気をなくしているのか
柴田昌治
職場に働く喜びを取り戻そう！　社員が主体的に参加する変革プロセス、日本的チームワークを再構築する新しい考え方を提唱する。

なんとか会社を変えてやろう
柴田昌治
問題を見えやすくする。感度の悪い上司をなんとかする。情報の流れ方と質を変える。――現場体験から成功の秘訣を説いた第2弾。

ここから会社は変わり始めた
柴田昌治＝編著
組織の変革は何から仕掛け、どうキーマンを動かせばいいのか。事例から処方箋を提供する風土改革シリーズの実践ノウハウ編。

日経ビジネス人文庫 好評既刊

トヨタ式 最強の経営

柴田昌治・金田秀治

勝ち続けるトヨタの強さの秘密を、生産方式だけではなく、それを生み出す風土習慣から解き明かしたベストセラー。

渋沢栄一 100の訓言

渋澤 健

企業500社を興した実業家・渋沢栄一。ドラッカーも影響された「日本資本主義の父」が残した黄金の知恵がいま鮮やかに蘇る。

太陽活動と景気

嶋中雄二

自然科学と社会科学の統合に挑戦した意欲作を、ついに文庫化。太陽活動が景気循環に大きな影響を与えていることを実証する。

ジム・ロジャーズが語る商品の時代

ジム・ロジャーズ
林 康史・望月 衛＝訳

商品の時代は続く！ 最も注目される国際投資家が語る「これから10年の投資戦略」。BRICsを加えた新しい市場の読み方がわかる。

なぜ、「あれ」が思い出せなくなるのか

ダニエル・L・シャクター
春日井晶子＝訳

人間はどうして物忘れや勘違いをするのか。記憶に関する研究の第一人者が、その不思議な現象をやさしく解説する。

nbb 好評既刊

カンブリア宮殿 村上龍×経済人 社長の金言

村上 龍
テレビ東京報道局＝編

人気番組『カンブリア宮殿』から68人の社長の「金言」を一冊に。作家・村上龍が、名経営者の成功の秘訣や人間的魅力に迫る。

カンブリア宮殿 村上龍×経済人1 挑戦だけがチャンスをつくる

村上 龍
テレビ東京報道局＝編

日本経済を変えた多彩な〝社長〟をゲストに、村上龍が本音を引き出すトーキングライブ・テレビ東京『カンブリア宮殿』が文庫で登場！

カンブリア宮殿 村上龍×経済人2 できる社長の思考とルール

村上 龍
テレビ東京報道局＝編

人気番組のベストセラー文庫化第2弾。出井伸之（ソニー）、加藤壹康（キリン）、新浪剛史（ローソン）――。名経営者23人の成功ルールとは？

カンブリア宮殿 村上龍×経済人3 そして「消費者」だけが残った

村上 龍
テレビ東京報道局＝編

柳井正、カルロス・ゴーン、三木谷浩史――経営改革を進める経済人たち。消費不況の中、圧倒的成功を誇る23人に村上龍が迫る。

それでも社長になりました！

日本経済新聞社＝編

上司の〝イジメ〟、取引先からの罵倒、左遷――あの時代があったからこそ今がある。大企業トップ40人が語る「私の課長時代」。